［英国］柯南·道尔 著

喵博士 改编

大侦探福尔摩斯

SHERLOCK HOLMES

四签名

译林出版社

人物档案

华生

华生——医生，伦敦大学医学博士，福尔摩斯的最佳拍档。他用心记录下福尔摩斯精彩的破案过程，并公之于世。

福尔摩斯

福尔摩斯——闻名世界的大侦探，居住在英国伦敦的贝克街221B。他善于通过观察和推理来寻找事件的真相，破案时有如神助，总是能洞察一切。

莫斯坦小姐

莫斯坦小姐——一位聪明美丽的年轻女士，近十年接连遭遇离奇怪事：父亲神秘失踪、收到来历不明的珠宝……种种怪事之间似乎有着不为人知的联系。

琼斯警探　小舒尔托

琼斯警探(左)——胖胖的警探，负责小舒尔托双胞胎哥哥的命案。他跟福尔摩斯不太对付。

小舒尔托(右)——舒尔托少校的儿子，为去世的父亲苦苦守着一个秘密。

导言

一位年轻女士的身边，发生了一连串诡异的怪事：父亲十年前神秘失踪；每年的固定日期，总有人给她寄来价值连城的珍珠；最近，又有神秘人约她见面。福尔摩斯发现，这一切似乎都与四个神秘的签名有关。然而，“四签名”带来的不只是财富，还有可怕的厄运和如影随形的危险……

目录

SHERLOCK HOLMES

SHERLOCK HOLMES

一块旧表的秘密

在伦敦贝克街 221B 的公寓里，华生医生看着手里的一封信，忍不住笑了起来："哈哈，这么多夸张的**赞美**之词，'伟大''高明'……太逗了！"

福尔摩斯悠闲地往椅背上一靠，说："这是法国的一位侦探，呵呵，据说还小有名气，上周向我咨询了一个案子，特意写信来表示感谢呢。其实，他还是挺有天分的，优秀侦探需要具备的三个条件，他具备了两个。"

“哦？”华生好奇地竖起了耳朵，“优秀侦探必备条件？快说来听听！”

福尔摩斯为自己的**烟斗**装满烟丝，不紧不慢地说：“第一，善于观察；第二，善于推理；还有第三点，知识全面！他具备了前两个条件，但知识方面嘛，就比较欠缺啰。”

福尔摩斯**眉飞色舞**地说起了自己的侦探理论。华生听着听着，脸上露出了一丝狡黠的笑容。他取出一块表，递给福尔摩斯，说：“大侦探，反正你现在也没有案子要办，不如，试着把你那套理论用在这块表上吧？”

福尔摩斯一看，哟，华生想给他**出难题**呢，立刻坐直了身体。“有什么想问的，尽管放马过来吧。我喜欢解决难题，越难越好。”福尔摩斯说。

“你以前说过，人们用过的物品，上面会打上主人的烙印。那么，请你说说看，这块表原来的主人是什么样的人呢？”

福尔摩斯接过表仔细端详，看了看表面，又打开表盖，还拿出**放大镜**东照照，西瞧瞧。过了一会儿，他沮丧地把表还给华生，摇了摇头，说："什么痕迹都没有。这块表最近刚被清洗过，没留下什么有价值的线索。"

什么？竟然考倒了神一般的福尔摩斯？华生按捺不住得意的心情，说："你说得对，这块表到我手上之前，的确被清洗过。"大侦探沉默了一会儿，半眯眼睛看着天花板，轻描淡写地说："虽然痕迹不多，但也不是**一无所获**。据我判断，这块表原来的主人是你哥哥，是你父亲传给他的吧？"

"嗯？"华生顿时瞪大了双眼说，"哦，对了，你是根据表壳上的字母'H'和'W'推断的吧？"

"嗯，W 代表你的姓，对吧？这是一块五十年前生产的古老的表，那两个字母看起来跟表一样旧，应该是当年刻上去的。所以我判断，这块表最初的主人是你父亲。而你父亲已经去世多年。根据惯例，他应该会把这类贵重物品传给长子，也就是你的哥哥。"

"你说对了！不过，还能看出别的什么吗？"华生继续追问。

"恕我直言，你哥哥是个邋遢马虎的人。他原本有着光明的前途，可惜没抓住机会，生活**穷困潦倒**，偶尔也会

时来运转。可惜啊，最后他还是因为酗酒而死。后来，表就到了你这里。”

华生猛地从椅子上弹了起来，满脸涨得通红，不客气地喊道：“福尔摩斯，没想到你竟然私自调查我哥哥的悲惨经历，还假装是你的推理分析。就从这块旧表，你怎么可能看出这些隐秘的事情？你这么做跟骗子没两样！”

父亲失踪

福尔摩斯连忙解释道："真对不起，华生，请接受我的道歉。我只是纯粹把这件事当作问题来分析，忘了它会让你痛苦，但我向你保证，在看到这块表之前，我根本不知道你有个哥哥。"

华生还是不肯相信："那你怎么会知道得这么清楚？没有**一丝一毫**错误。"

"我只是说了些可能性比较大的事情，没想到恰好对上了。你看，好好的一块表，表面上到处都是**磕碰的痕迹**，他肯定是习惯把表跟钥匙之类硬的东西放在一起。这是不是能说明你哥哥是个马虎的人？"

华生听到这里，情绪有所缓和。福尔摩斯接着说："你再看，表的里面刻着许多**典当的票号**。这说明什么？你哥哥经常拿表去典当行换钱。等有钱了，又把表赎回来。没钱了再去典当。这么反反复复好几次，是不是能说明，他多数时候穷困潦倒，偶尔运气好，手里会有点钱？最后，再看看里盖那个上弦的小孔，四周也有很多划痕。什么样的人给表上弦时会弄出这么多划痕呢？酒鬼！十有八九是他喝多了手抖，才出现了这种情况。”

“真是一语道破天机啊！”华生感叹道，“刚才我错怪你了。你的推理能力真不是吹牛！”

福尔摩斯却叹了一口气说：“唉，没有新案子，无聊得很。你知道的，我不动脑筋就会活不下去，每天过得索然无味。”

就在这时，楼下传来一阵清脆的敲门声，没多久，房东太太的身影出现在门口。她端着一个黄色的铜盘，里面放着

一张名片。“先生，有一位年轻的姑娘想要见你。”房东太太说。

“玛丽·莫斯坦小姐？”福尔摩斯看着名片念出声，“名字看着很陌生。先请她上来吧，房东太太。”

没一会儿，莫斯坦小姐踩着坚定的步伐走进了房间。这是位年轻的金发女郎，身材**小巧玲珑**。虽然打扮得很朴素，但神态温柔可爱，一双漂亮的蓝色大眼睛让人**过目不忘**。华生暗自感叹，他到过不少国家，见过许多不同类型的女子，但还没有谁像她这样优雅聪慧，惹人怜爱。

福尔摩斯请女孩在椅子上坐下。她似乎有些**紧张**，双手发抖，嘴唇也在微微颤动，很是不安。她努力平复了一下心情，才开口说道：“福尔摩斯先生，我是一位家庭教师。我的

雇主塞西尔夫人推荐我来找您，她说您帮助过她，还说没有您破不了的案子。我遇到了**一件古怪的事情**，真想不出还有什么事比这更离奇。”

福尔摩斯搓着手，身体向前倾，两眼发光地说：“请你讲讲案件的具体情况吧。”

“这件事是关于我父亲的。在我很小的时候，他就被派到印度去了。他是一位军官。当时啊，印度是英国的殖民地，英国长期派军队驻扎在印度。”莫斯坦小姐继续说，“我母亲去世得早，国内也没有别的亲戚，所以父亲只好把我安顿在英国的一所寄宿学校。在我十七岁那年，父亲**离奇失踪**了。那是十年前，也就是1878年，有一天我接到父亲的电报，他说休假回伦敦了，让我去他住的旅馆找他。可到了旅馆后，我连他的影子也没见到。旅馆服务员说，我父亲前一天晚上出门了，之后就再也没回来过。后来我报了警，还在报纸上登了寻人启事。”

“后来呢？”福尔摩斯问。

“这些年来，我一直四处打探父亲的下落，可直到今天，都没有他的半点消息。我可怜的父亲……”莫斯坦小姐说到这里**泣不成声**，几乎说不下去了。

从天而降的珍珠

“失踪了十年，”福尔摩斯问道，“他在伦敦还有朋友吗？”

“我只知道一位，是父亲的战友——舒尔托少校。他在那之前就已经退伍回到了英国。他跟我父亲是很要好的战友，我找他打听过消息，可他竟然连我父亲回英国的事情都不知道。”

“这个案子是有点奇怪。”福尔摩斯皱着眉说。

“事情还没完，最奇怪的事情我还没说呢！”莫斯坦小姐继续说，“大约在六年前，我看到一份奇怪的报纸。竟然有人登报寻找我的住址，说会有好运降临到我头上。我抱着试试看的想法，把我的地址登在报纸上。没想到，当天我就收到了一个盒子，上面没有寄件人的信息。我打开一看，天哪，里面是一颗闪闪发光的大珍珠！更离奇的是，从那以后，每年的同一天我都会收到一颗这样的珍珠，到现在已经有六颗了！我找专家鉴定过，这些珍珠都是稀世珍宝，价

值连城。我今天带来了，请您看看。”说着她打开了手上一个扁平的盒子。果真像她说的那样，即使是在昏暗的房间里面，六颗珍珠也闪耀着夺目的光辉。

这个案子完全激起了福尔摩斯的兴趣，他继续问道：“还有别的线索吗？”

“有，今天上午我又收到了**一封奇怪的信**。就是因为这封信，我再也忍不住了，这才来找了您。信我带来了，麻烦您看看吧。”

福尔摩斯接过信，只见上面写着：“今天晚上七点，请到莱西姆剧院外左边的第三根柱子边等我。如果您有疑虑，可以带两个朋友过来。您受了冤屈，会有公道的。别带警察过来，否则一切免谈。”落款是：“您不知名的朋友。”

福尔摩斯又搓起了手，说道：“这真是越来越神秘了，莫斯坦小姐，你打算走一趟吗？正好华生也在，我和他可以充当你的两位朋友。”

“真的吗？你们真是太好了！我平时不怎么跟别人交往，正愁没有朋友能陪同呢。那我们约在六点，可以吗？”

“不能再晚了。我还有一个问题，这封信上的**笔迹**和寄珍珠的人的笔迹是一样的吗？”

莫斯坦小姐从包里拿出六张纸，说：“我正好全都带来了，您可以看看。”

“您想得真是周到，所有东西都带齐了。哈，要是每个委托人都像您这样，我可以省下不少麻烦呢！”福尔摩斯毫不吝啬对她的赞赏。

他把纸全铺在桌上，一张张比对。“嗯？有问题！除了这封信外，其他六张纸上的笔迹都有**故意伪装的痕迹**。嗯，现在是三点，你能把这几张纸留下吗？我再研究研究。我们六点见。”

“没问题，福尔摩斯先生。”莫斯坦小姐用她那双漂亮的蓝色大眼睛温柔地看了看他们，然后抱着装珍珠的盒子匆匆离开了。

华生看着莫斯坦小姐的背影越来越远，最后在人群中只剩下一个黑点。他转身对福尔摩斯说："嘿，大侦探，你说莫斯坦小姐是不是特别漂亮？"

福尔摩斯闭上眼睛靠在椅子上，慢吞吞地说："不以貌取人，这是我的原则。"他突然睁开眼，站起身。"我现在要出去找点资料，一小时后回来。"说完他就大步走出了家门。

下午五点半，福尔摩斯容光焕发地回来了。"我有重大发现！这事很快就会水落石出！"

夜间赴约

“啊？这也太快了吧？”华生**难以置信**地问，“你打探到什么了？”

福尔摩斯喝了口茶，说：“我刚刚去查阅了《泰晤士报》的旧报纸，发现了**一条重要的消息**。莫斯坦小姐提到过的那位舒尔托少校，他在六年前就去世了！”

“嗯？”华生不太明白这条消息和这个案件有什么关联。

福尔摩斯耐下心来慢慢解释：“据莫斯坦小姐说，她父亲和舒尔托少校是非常要好的战友。可那位少校竟然说，他不知道莫斯坦小姐的父亲回伦敦了。这很不寻常。更奇怪的是，六年前，他去世后不到一星期，莫斯坦小姐就收到了第一颗珍珠。你不觉得，这个失踪案和莫名其妙的珍珠，还有舒尔托少校之间似乎有着**千丝万缕**的联系？”

华生还是摸不着头脑，问道：“那……珍珠和信到底是谁寄来的呢？”

“舒尔托少校的继承人！大概就是他的儿子。”福尔摩斯回答道，“这人一定知道些隐秘的事情，所以想给莫斯坦小姐做出补偿。”

华生更觉得**匪夷所思**了，继续问道：“那他为什么搞得这么神秘？大大方方地送不就可以了吗？还有，为什么六年前不写信，到现在才写呢？”

福尔摩斯回答道：“嗯，确实还有**很多疑点**，或许，到晚上我们就能解开所有谜团了。”

这时，楼下传来马车夫的吆喝声，福尔摩斯探头看去。“莫斯坦小姐的马车到了。”说着，他从抽屉里拿出一把手枪放进口袋。华生一惊，心想：“看来，晚上的行动可能有危险！”

坐上马车后，华生看到莫斯坦小姐脸色苍白，但人很镇定。福尔摩斯问道：“莫斯坦小姐，可以跟我多说一些关于舒尔托少校的事吗？比如说他和你父亲的关系到底怎么样？”

莫斯坦小姐思考了一会儿，回答道：“舒尔托少校和我父亲都是驻扎在**印度安达曼群岛**的军官，他们是特别要好的朋友。父亲每次给我写信时，都会提到他。哦，差点忘记了，我在父亲的书桌里发现了一张奇怪的纸，上面写着一些我看不懂的内容。您看看。”说完，莫斯坦小姐把一张纸递给

了福尔摩斯。

福尔摩斯小心翼翼地把纸平铺在膝盖上，取出随身携带的**放大镜**，边看边说：“这张纸是印度生产的。上面的图案应该是什么建筑物。这建筑物很大，你们看，上面用红笔画了个十字记号，还用铅笔写着什么字，好像是在标位置。左手角落处，潦草地签下了**四个人的名字**：‘乔纳森、辛格、阿卜杜拉、阿克巴尔’。”

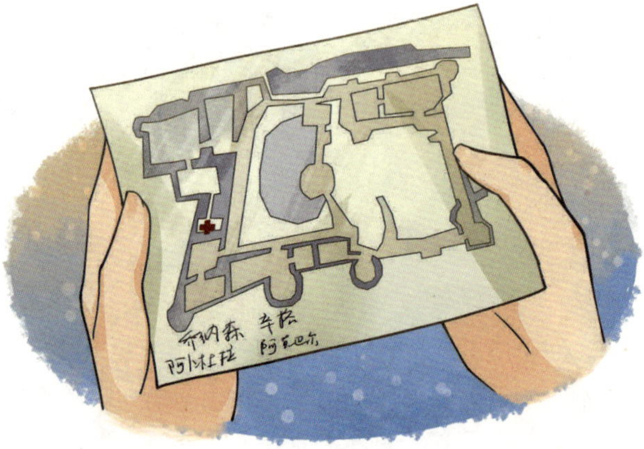

福尔摩斯皱着眉头，**若有所思**。“看起来，这案子比我之前想的要复杂多了。我得重新理一理思路，抱歉！”说完，他就靠在马车的椅背上闭着眼睛思考起来。

深秋时节，不到七点天色已经一片昏暗。浓雾笼罩着大地，天空中低悬着令人压抑的片片乌云。受福尔摩斯影响，一路上大家都沉默不语，只剩下马车夫的吆喝声："驾——驾——"还有车轱辘的转动声："咕噜——咕噜——"街道一片泥泞，两边商店的橱窗里透射出微微灯光，给这萧瑟的街道带来了一丝温暖。

华生**坐立不安**，频频看向莫斯坦小姐，他发现她似乎跟自己一样紧张。只有福尔摩斯**不动声色**，在记事本上记着什么。

马车很快到了目的地——莱西姆剧院外左边的第三根柱子。一个男子站在那里，见到他们，快步迎了上去，问道："您是莫斯坦小姐吗？"

莫斯坦小姐点点头，说："您好，我是！"

男子用嘴吹出了一阵刺耳的口哨声："咻——咻——"随即，一个流浪汉从对面的街上牵过来一辆四轮马车。男子打开车门，跳到了马车夫的座位上，让其他人也跟着上车。大家还没坐稳呢，马车夫就挥鞭赶着马儿奔跑起来。

秃顶男人

马车七拐八绕，穿过大街小巷，驶往偏僻的郊区，最终停在一栋新房子前。附近的其他房子没什么人住，周围一片漆黑。而他们面前的那栋，也只有一扇窗户透出了一丝微弱的光。

咚咚咚！伴随着敲门声，一个仆人很快打开了门。他头上裹着一块黄色的头巾，一副印度人的打扮，和这栋房子显得极不协调。

屋里传来一个男人的声音："请他们进来吧。"

他们三人跟着仆人向屋里走去。借着灯光，他们看到里面站着一个小个子男人。他的脑袋立刻吸引了大家的视线：光秃秃的头顶周围，只有少得可怜的几根红色短发立在那里，让光亮的头皮显得更醒目了。怎么说呢？就好像几棵杉树环绕着荒凉的山顶。他的嘴唇向下撇着，露出一口**参差不齐**的黄牙。他肯定很不喜欢自己的这下半张脸，不时地伸手去挡一挡。这男人虽然已经秃顶，但看着还挺年轻的，三十岁左右的样子。

他站在那里，双手紧紧地握在一起。看到莫斯坦小姐，男人脸上的表情**变幻莫测**，一会儿笑容满面，一会儿又愁云笼罩。好半天他才开口，尖着嗓子说："欢迎欢迎！请进来吧！我是舒尔托少校的儿子，你们可以叫我小舒尔托。您……您就是莫斯坦小姐吧？"

"您好！我是莫斯坦。这位是福尔摩斯先生，另一位是华生医生。"

“啊，医生？”他听到华生是医生时，立刻激动地说，“您带着听诊器吗？能不能麻烦您帮我瞧瞧？唉，我的心脏可能有毛病，我总觉得不舒服。”

华生一向习惯随身带着医疗用具，便上前给他检查了一番。“先生，您的心脏没有问题，放心吧。”

“哦，太好了，那可能是因为我太紧张了。”小舒尔托高兴起来，不过很快又叹了一口气说，“唉，莫斯坦小姐，您父亲要是能够心平气和一点，不那么容易激动，也许到现在还活得好好的呢。”

他突然说到莫斯坦小姐的父亲，大家都感到**非常震惊**。莫斯坦小姐脸色惨白，她努力镇定下来，说：“是的，我心里非常清楚，父亲应该早就去世了。”

“我会把自己知道的全都告诉您。”小舒尔托说，“不管我哥哥怎么说，我都要为您主持公道。不过，这件事我不想让警方介入，也不想公之于众，因为那样做只会惹恼我哥哥。”他说完就在一张低矮的沙发上坐下来，点着了一个巨大的水烟筒，烟筒里发出咕嘟咕嘟的响声，青色的烟雾冒了出来。

三人围坐在一起，等着他再次开口。

他换了个舒服的坐姿，**缓缓地讲述起来**：“我的父亲舒尔托少校，和莫斯坦上尉是战友，他们当年一起驻扎在印度。大约在十一年前，他退休后回到了英国。天知道他在印度怎么就发了财，带回来好多珍贵的古董和一大笔钱，还有几个印度仆人。回来后，他买了一栋樱池别墅，过着不愁吃不愁穿的富裕生活。他只有两个儿子，就是我和我的**双胞胎**哥哥。

“就在他回来一年后，莫斯坦上尉失踪了，这个案子在当时很轰动。我们还跟父亲讨论过。当时他完全是一副不知情的样子，可谁能想到呢，他对所有人都隐藏了**一个天大的秘密**！”

一个天大的秘密

“其实，自从上尉失踪以后，父亲整个人就变得很怪异，每天**战战兢兢**的，不敢独自出门，还雇了两个拳击高手当保镖。今天给你们赶车的就是其中一个，他获得过英国拳击赛的冠军。对了，我父亲对**装有木头假腿的人**特别警觉。有一次，他突然开枪打伤了一个上门兜售东西的商贩，好像就是因为那人装有木头假腿。唉，我们家因此赔了一大笔钱。当时，我和哥哥还以为是一场意外呢。

“六年前的年初，父亲收到了一封来自印度的**信**。那封信对他来说，简直就是一封索命书。当时他正在吃早餐，打开信以后，双手就开始剧烈颤抖，脸色煞白，差点当场晕过去。信的内容没人知道，我只瞥了一眼，看见那封信写得很短，字迹也很潦草。

“从那以后，父亲就一病不起。他本来身体就不好，这下更是**雪上加霜**。到了 4 月底，医生告诉我们，他不行了。

“**奄奄一息**的父亲把我们兄弟俩叫过去，告诉了我们一个天大的秘密。他当时是这么说的：

“‘我还有**一大笔财宝**你们没见过。不过，有一件事我始终放不下。我对不起莫斯坦那可怜的女儿啊。有一半财宝是属于她的，我一直舍不得给她。唉，其实我自己也没有享用到这些财宝，只觉得占有它们就是一种快乐。真是愚蠢透顶啊！瞧，那边的盒子里有串**珍珠项链**，本来是我特意挑选出来要送给她的，可我还是舍不得。我的儿啊，以后……你们要把财宝公平地分给她。不过……在我死之前……什么也不能给，连这串项链也不能给……

“‘我告诉你们莫斯坦上尉是怎么死的吧。多年来，他的心脏一直不好。我和他在印度历尽**千难万险**，弄到了一大笔财宝。我先带着它们回到了伦敦。后来，莫斯坦休假回来，找我要他的那一份。我们俩对财宝怎么分配意见不一，大吵了一架。他气得一下子从椅子上弹了起来。就在这时候，突然，他把手按在胸口，脸色变得死灰死灰的，接着就直挺挺地倒了下去，头还砰的一声撞在了财宝箱的角上。我赶紧冲过去扶他，可他……他就这么死了！我吓坏了，浑身发抖地坐在椅子上，半天回不过神来，根本不知道该怎么办。

"'我想去报警，可转念一想，不行啊！这样的话，我很可能会被当成是杀人凶手！我和莫斯坦争吵过，而他头上又有伤口，这些都对我太不利了。而且，审讯过程中肯定会牵涉到这笔财宝，可这件事情怎么能让别人知道呢？

"'没办法，我只好跟老仆人乔达一起把尸体埋了。几天后，伦敦的各大报纸登出了莫斯坦上尉失踪的新闻。你们应该能明白吧，他的死不能怪到我头上。我错就错在私吞了属于他的那份财宝，所以我希望你们能**把财宝还给他的女儿**。'

"讲到这里，父亲向我们招了招手，说：'把你们的耳朵靠近点，我告诉你们那些财宝藏在哪里，它们在……'"

神秘人现身

“就在那一刻，父亲突然**脸色大变**，他惊恐地盯着窗外，用尽全身力气发出了一声尖锐刺耳的叫声：‘别让他进来！别让他进来！’我转头一看，一张人脸贴在窗户上，鼻子都被玻璃压得发白了。那是个胡子拉碴的男人，一脸**凶神恶煞**的表情，充满愤怒的眼睛透过玻璃恶狠狠地盯着我们！

“我和哥哥马上冲到窗前，可那人转眼就不见了。等我们再次回到父亲床边时，发现他的头已经垂了下来，心脏停止了跳动。”

想起父亲当年离开人世的画面，小舒尔托的情绪有些激动。他吸了吸鼻子，声音微微颤抖地继续补充道：“那天晚上，我们找遍了整个花园都没有发现那个人的踪影，但是窗户下的花圃里有一个明显的**脚印**。

“这事还没有消停。第二天早晨，我们发现父亲卧室的窗户开着，橱柜和箱子都被人翻过了，但房间里的物品没

有丢失。

“对了，有个箱子上钉着一张破破烂烂的纸，上面潦草地写着几个字：‘**四签名**’。我一直没有查明这几个字是什么意思，也不知道那个神秘人是谁。于是，我们联想到了父亲临终前说的秘密财宝。”

小舒尔托说到这里，情绪已经平复了不少。他重新点着水烟筒，若有所思地吸着水烟，沉默了起来。其余三人**聚精会神**地听他讲了这个离奇的故事。莫斯坦小姐在听到自己父亲去世的那一段时，脸色煞白，没有一丝血色，看起来很吓人。华生甚至担心她会晕过去，赶紧给她倒了一杯水。莫斯坦小姐喝过水之后，脸色才好看一些。

福尔摩斯背靠椅子坐着，眼帘低垂，看不出在想什么。

小舒尔托继续往下说："父亲竟然藏着那么一笔巨额财宝，我们兄弟俩知道以后，心情就再也没法平静了。看看他要给莫斯坦小姐的那串项链你就会明白，那笔财宝该有多值钱！我们花了好几个月，**把花园翻了个底朝天**，但什么也没有找到。唉，我们懊恼极了！父亲当时怎么就没把话说完呢！"

小舒尔托突然转向莫斯坦小姐，说："小姐，我很抱歉，没能直接把整串项链寄给您。唉，主要是我哥哥不愿意。他在这方面多多少少有点像我父亲，还是太贪心了。不过，话说回来，如果直接把那么昂贵的项链寄出去，未免也太扎眼了，可能还会引起不必要的麻烦。所以后来我才想到这么个办法，把珍珠拆下来，一颗一颗寄给您。嘿嘿，这样您的生活能有保障，又不至于太引人注意。"

福尔摩斯由衷地称赞道："你的心眼儿真好。"

小舒尔托听到福尔摩斯的称赞，不好意思地摆摆手说："别这么说。我跟哥哥意见不一，所以我干脆从家里搬出来，住到了这里。对了，接下来才是重点。你们知道吗？昨天发生了大事！我哥哥**找到那笔财宝了**！这太让人激动了！

于是，我立即联系了莫斯坦小姐。一会儿我们一起去我哥哥那里，要回属于莫斯坦小姐的那份财宝。”说到这里，他挠了挠头，**吞吞吐吐**地说：“不过……昨晚我哥哥……听到我说……要给出去一半财宝，他很不高兴。估计……他不太欢迎你们，嗯……希望你们……有个心理准备。”

秘密藏宝处

听完他的话，大家都陷入了沉默。今晚听到的一切，实在是**太曲折离奇了**。福尔摩斯最先回过神来，他站起来说道："先生，这件事从头到尾你都做得很好。现在时候不早了，要不，我们还是直接去樱池别墅看看吧？"

小舒尔托点点头。他从幔帐后面拿出一件长长的厚大衣，大衣领子和袖口都是羊羔皮做的。其实晚上的天气有点闷热，不至于穿这么厚的大衣，可他还是把自己裹得严严实实，最后还戴上了一顶兔皮帽子，把两只耳朵也塞了进去，只露出清瘦的面孔。看着大家惊讶的表情，他不好意思地解释道："我的身子太虚弱了，稍微受点凉就会感冒。"

大家走出屋子，上了马车。小舒尔托想到那笔终于现身的财宝，忍不住眉飞色舞地说："我哥哥实在是太聪明了，你们知道他是怎么找到财宝的吗？"

大家摇摇头。他一脸兴奋地**揭开谜底**："我们在花园里一直找不到财宝。最后他断定，财宝一定就藏在房子里的某个角落。他仔细测量了房子的尺寸，还真发现了线索：这栋房子的总高度接近二十三米，但是各层楼加在一起的高度，却不到二十二米。相差的近一米是怎么回事？他真是个天才！竟然想到了天花板。他在天花板上打了一个洞，果然不出所料，上面有个**封死了的小阁楼**。我们都惊呆了！”

“然后呢？”华生好奇地追问。

小舒尔托调皮地眨了眨眼睛，说：“阁楼的中央，有一只箱子架在两根木头上。天哪！里面全是价值连城的珠宝。我哥哥估算了一下，这些珠宝的价值不会少于五十万英镑。五十万英镑啊！这笔钱足以让任何一个人成为英国的超级富翁！”

大家顿时瞪大了眼睛。这也就是说，莫斯坦小姐如果得到了属于她的那一半财宝，那就立刻会从一个贫穷的家庭教师，摇身变成**高不可攀**的富人。

华生本来应该为她感到高兴，这一刻却**垂头丧气**地坐在马车里，心里像压了一块重重的石头。

终于到了目的地。这时已经临近午夜，一阵微风吹来，厚厚的云层随风移动，露出又大又圆的月亮，在大地上洒下一片清辉。

樱池别墅的庭院四周都是砌得高高的石墙，一扇窄窄的铁门是别墅唯一的出入口。小舒尔托说："这就是我父亲当年住的地方，现在我哥哥住在这里。"他走到铁门前，砰砰砰地拍了几下。

伴随着一阵叮叮当当的开锁声，门被拉开了一条缝，一个矮小壮硕的男子挡在门缝处，手里提着个灯笼。他眯着一双多疑的眼睛问道："小舒尔托先生，是您吗？但其他人是谁？没有主人的吩咐，我可不能放他们进去。"

"什么？不能进去？哪有这样的道理?!"小舒尔托听后**暴跳如雷**，"我昨晚就跟哥哥说过了，会带几个朋友过来。"

"很抱歉，先生，主人今天一整天都没有出过房门，也没有交代过这件事。您可以进来，但您的朋友只能在外面等了。不好意思，我只是按规矩办事。"

小舒尔托涨红了脸跟他**据理力争**，但守门人还是不肯让步。

又见"四签名"

这时，站在后面的福尔摩斯突然亲热地大声说："嘿，麦克默多，还记得我吗？四年前在您的挑战赛中，有个业余拳击手跟您打过几个回合。"

守门人立刻睁大了眼睛仔细打量他："您……您是福尔摩斯先生？天哪！真的是您？哈哈！瞧我这双老花眼，到跟前了都没认出来，看来是要去配一副老花镜了！哎呀，真是太可惜了，您当年多有天赋啊，可惜没坚持下去，不然现在没准是个**了不起的拳击手**！"

福尔摩斯笑了笑，说："呵呵，我相信，老朋友不会让我们站在外面受冻吧？"

守门人脸上带着抱歉的笑容，说："哎呀，真是不好意思，知道你们是谁就行啦！快进来吧！"

一行人**顺利地进了铁门**。他们沿着一条石子路穿过荒凉的庭院，来到大房子前。房子被树叶遮得严严实实的，只有一抹月光透过树丛，照在角落的窗户上。四周一片寂静，大家几乎能听到彼此的呼吸声。

小舒尔托心中掠过一丝不安，提着灯笼的手**不由自主**地微微颤抖。“不对劲！**这太不对劲了**！我明明告诉过我哥哥，今天晚上会带朋友过来，可他房里一点光亮也没有，这太反常了！”

福尔摩斯问道：“整栋房子，只有门边的那个小窗里亮着灯光，那里头住着的是谁？”

“哦，那是管家太太的房间。你们稍等一下，我先进去找她。”他转身向大门走去。

福尔摩斯提着小舒尔托交给他的灯笼，举起来四下照了照，借着灯光仔细观察起这栋房子来。

“这地方真奇怪。”莫斯坦小姐看着庭院里被翻得乱七八糟的地面说，“是不是全英国的鼹鼠都跑到这里来打地洞了？”

福尔摩斯提醒道：“别忘了，他们可是花了六年时间来寻找财宝。”

就在这时，门突然开了，小舒尔托仓皇地跑了出来，嚷道：“我哥哥可能**出事了**！”

莫斯坦小姐留在一楼，陪着受到惊吓的管家太太。福尔摩斯和华生则陪着小舒尔托来到他哥哥的房门前。房门从里面反锁着。福尔摩斯透过钥匙孔朝里看了一眼，沉着脸说："情况不妙。来，我们一起把门撞开。"

三个人一起用力。砰的一声门开了。里面的景象让小舒尔托又害怕又伤心。他哥哥已经去世了，坐在桌子边的扶手椅上，脸上挂着一副僵硬而诡异的笑容。

福尔摩斯仔细观察着屋里的一切。这里很像一个实验室，到处摆着实验的器具，空气中还弥漫着一股**刺鼻的药水味道**。屋顶的天花板上有一个洞，大小刚好能容纳一个人进出。下面架着一副梯子，而梯子边上则零乱地放着一卷长绳。

被害人面前的桌子上，有一根结实的棕色木棒，其中一头用粗麻绳绑了块石头，看着像**一把锤子**。旁边还有一张**纸条**，上面潦草地写着几个字："四签名"。

华生惊叫道："天哪！又是'四签名'！这究竟是怎么回事啊？"

福尔摩斯走到被害人跟前，仔细检查了起来。"是谋杀。"福尔摩斯说，"华生，你来看这里。"他指着被害人的后脑勺，那里插着一根又细又长的**黑刺**。

四签名

华生上前一看，说："好像是一根棘刺。"

"是的。你把它拔出来吧，不过要小心，上面有毒。"

华生用两根手指轻轻捏住它，小心翼翼地拔了出来，棘刺一取出，伤口立即就合拢了，只依稀看到一个小小的红点。

"事情越来越**扑朔迷离**了。"华生挠挠头，感到毫无头绪。

福尔摩斯却胸有成竹地说："恰恰相反。在我看来是一步一步清晰起来了。只要再弄清楚几个环节，整个案情就能**真相大白**了。"

木腿男人

华生听福尔摩斯这么说，感到非常震惊。他突然想起，自从进屋后，他们几乎把小舒尔托给忘了。他转身去找，发现这位可怜的先生依然**瑟瑟发抖**地站在门口，两只手攥在一起，用力地扭来扭去。他张着嘴，似乎想说什么，却半天发不出声音。忽然，他的嘴里迸出又沙哑又刺耳的尖叫声：“财……财宝——财宝不见了……**他们把财宝抢走了**！”

屋里的两人都被他尖锐的声音吓了一跳。他继续大叫：“我和哥哥就是从那个洞口把财宝放下来的，可现在不见了！”

福尔摩斯问：“昨晚你几点离开的？”

小舒尔托的声音颤抖得厉害：“十……十点。现在……他……他死了，警察一定……会怀疑是我杀了他！天哪！他们……一定会这么想的！你们呢？你们……是不是也这样认为？可如果是我杀了他，我……我还会请你们过来吗？天哪！我……我受不了了，我要疯了！”小舒尔托整个人陷入了癫狂的状态，全身上下像抽筋一样抖个不停。

福尔摩斯拍着他的肩膀安慰道：“别担心，小舒尔托先生，听我的建议，现在就去警察局**报案**。警察会调查清楚的。我们在这里等你回来。”

小舒尔托用力点了点他几乎控制不住的脑袋，踉跄着下了楼，准备去报警。

福尔摩斯看了眼怀表，说：“他去报警的话，差不多需要半个钟头。华生，正好我们来分析一下案情。小心驶得万年船。虽然这个案子很简单，但是我们也不能**掉以轻心**。”

“什么？”华生忍不住叫了起来，“这么复杂的案情，你说简单？”

福尔摩斯提着灯笼往屋里走，一边观察一边解释：“好一起**密室杀人案**！你看，门窗都从里面锁上了。窗外没有下水管道，没法顺着水管爬上爬下。窗户离房顶也很远，很难从房顶跳进来。”他说着打开窗子，指着外面的窗台说：“不过，看这里，有脚印！旁边还有一个**圆形的泥印**。哦，地板上也有，桌子旁还有一个。谢天谢地，昨晚下过雨，所以能留下这么清晰的印记。”

华生凑过去，果然看到几个圆形的泥印。他仔细比对了一下，说："这不是脚印。"

"对。"福尔摩斯赞许地点点头，"这是一根圆形木桩留下的印子，而旁边是一只靴子的脚印。你想到了什么？"

华生**恍然大悟**道："是个**装有木腿的男人**。"

"没错。他应该还有一个很能干、很灵活的同伙。华生，你能爬上这堵墙吗？"

华生朝窗外看了看，发现窗子离地面大概有六七层楼那么高。墙面连个能落脚的缝隙都没有。他**不假思索**地回答："这里没法借力，不可能爬上来。"

"要是没有别人的帮助，的确不可能。但如果有个朋友在屋里帮忙呢？看到地板上的那条**粗绳子**没有？"福尔摩斯努努嘴说，"再看那里，墙上有个挂钩。屋里有人先把绳子的一头拴到挂钩上固定住，再把绳子的另一头从窗户扔下去。我想，有点力气的人，就算腿脚不怎么灵便，也能顺着绳子爬上来。等他办完事爬下去以后，屋里的同伙再把绳子解下来。”

“可是……**屋里的同伙是谁**？**他是怎么进来的**？”

可疑的小脚印

“别着急。先看看这绳子。”福尔摩斯走过去，拿起那团绳子仔细观察，“你看，绳子上有好几处血迹，特别是在绳子的末端。肯定是他爬下去的时候速度太快，把手磨破了。至于他的**神秘同伙**……”

华生忍不住说：“门窗都从里面锁住了，难道他是从烟囱爬进来的？”

“不可能！烟囱太窄，他又不是小猫小狗。”

“那他提前藏在屋子里了？”

“不！”福尔摩斯**斩钉截铁**地说，“你看这屋子，压根儿没有藏身之处。”

“那……是怎么回事？”华生挠挠头，百思不得其解。

福尔摩斯敲了敲桌面，说：“我不止一次说过，排除一切不可能，**剩下的就是真相**。既然他不是从门窗进来的，也不是从烟囱爬进来的，又不可能事先藏在屋里，那么，他

还能通过哪种方法进到屋里来呢？”

华生皱着眉头思考了一会儿，突然灵光一闪，大叫道：“屋顶！他是从**屋顶那个洞**进来的。”

“你说对了。走，我们上去看看。”

两人顺着梯子爬了上去。阁楼很小，地面是用椽木铺成的，上面积着厚厚的一层灰尘，里面一件家具也没有。阁楼的上方是倾斜的墙壁，这就是房子真正的屋顶了。

“快看！这里有个**暗门**！”福尔摩斯拍着斜屋顶说，“推开它就可以到屋子外面。神秘同伙就是从这里进出的。走，我们去看看他的行动路线，说不定留下了什么痕迹。”

福尔摩斯把灯笼往地板上照了照，脸上

露出了惊讶的神情。地上有好多赤脚的**脚印**，很清晰，很完整，但诡异的是，脚印很小，还不到成年人的一半大。

华生难以置信地问："不会吧？这么可怕的事，难道是个小孩子干的？"

福尔摩斯拍了拍手上的灰尘，说："这可不好说，先不要急着下结论。好啦，这里没什么好查的了，下去吧。"

两人回到下面的房间。福尔摩斯掏出**放大镜**和**卷尺**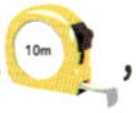，跪在地上开始了新一轮的检查。他那细长的鼻子都快贴到地面了，发光的眼睛像是搜寻猎物的鹰眼。他在屋里来回测量，记录每一个重要的数据。那专注的眼神、敏捷的动作，看起来真像一条训练有素的猎犬。

突然，他发出一声欢快的惊呼："哦，我们真是太走运了！你来看看这是什么！"他指着地上一摊湿漉漉的东西。"哈哈，这家伙真倒霉。有个装木馏油的瓶子倒了，**他踩到了木馏油**！你看那个小脚印。"

"那……又代表什么呢？"华生想不明白。

"你闻闻看。"

华生吸了吸鼻子，说："嗯，是有一股木馏油的味道。"

福尔摩斯语气轻松地说："接下来，我们只要抓住他就好了。你知道**神奇的狗鼻子**吗？猜猜看，一条训练有素的猎犬，顺着这么强烈的气味能追多远？”

这时，楼下传来一阵沉重的嘈杂的声音。福尔摩斯耸了耸肩膀，说：“嘿！看来警探到了。咱们得抓紧行动了。”

死亡之笑

华生好奇地问："什么行动？"

福尔摩斯回答道："得抓紧时间检查。现场的痕迹很快会被他们破坏得不成样子。华生，你检查一下被害人的胳膊和腿，看看有什么异常。"

"啊，他的肌肉像木头一样，硬邦邦的。"

"嗯，这说明，他去世的时候，肌肉处于一种极速收缩的状态，他脸上**僵硬的笑容**，也就是这么来的。这真是'死亡之笑'。"

这时，华生的医学知识发挥了作用。"看来，他是中了植物性生物碱的剧毒！"

福尔摩斯赞同地点点头，说："我看到他的表情，就想到应该是**中了剧毒**，所以刚才一进来，就查看凶手是怎么把毒注入到他身体里的。你也想起那根**棘刺**了吧？棘刺射入的地方正对着天花板上的那个洞。"

华生小心地再次观察那根棘刺。那是根细长的黑刺，一头尖一头钝，尖的那头涂了一层发亮的东西，大概就是毒药。

福尔摩斯问：“英国有这种棘刺吗？”

华生肯定地回答：“没有，绝对没有。”

楼道里的脚步声越来越近。噔噔噔！噔噔噔！很快，一名穿着灰色衣服的警探大步走了进来。他身材魁梧，不对，准确地说应该是肥硕，脸庞又红又圆，上面长着一对小眼睛，闪着锐利的光。跟他一起进来的是一名穿着制服的巡

警和不停哆嗦的小舒尔托。

“这里发生了什么事啊？”胖警探一进到屋里就瓮声瓮气地嚷嚷，“怎么什么人都有？跟个耗子窝似的。”

听到他不友善的口气，华生皱了皱眉。福尔摩斯却心平气和地跟他打招呼：“嘿，琼斯先生，是我啊。你不记得我了吗？”

胖警探看了福尔摩斯一眼，夸张地说：“啊！**大名鼎鼎**的神探福尔摩斯！当然记得了，上次的那起珍宝案，我可是终生难忘啊。”不过，下一秒他又换了一种口气说：“虽然当时你给我们提供了信息，但有时嘛，只是瞎猫碰上死耗子，运气好。嘿嘿，也不能全算是你的功劳。”

福尔摩斯不以为然地笑了笑。琼斯警探抱怨道：“唉！真是倒霉透了，大晚上还接到这种案子。对了，你来了这么久，有什么发现吗？”

福尔摩斯**轻描淡写**地回答：“门窗都是从里面锁住的，但窗台上发现了脚印。”

胖警探小眼珠子滴溜儿一转，立刻下了结论：“窗户也是关着的，说明窗台上的脚印跟本案无关。”说着，他朝跟他一起来的巡警挥了挥手：“嘿，伙计，麻烦你跟小舒尔托先出去，我跟福尔摩斯先生再详细谈谈。”

等他们出去后，琼斯警探**故作神秘**地说：“我看，这个小舒尔托最可疑！据他所说，昨天晚上他和哥哥在一起，然后他哥哥就死了。他肯定是趁机把珠宝藏了起来，接着故意带莫斯坦小姐过来，还假装报案。他这么做，都是为了掩饰自己的犯罪行为！”

福尔摩斯一愣，接着用力拍了两下手掌，嘲弄地笑了笑，说：“哈哈，你说得真是太棒了！然后那位死者自己爬起来，把门窗**原封不动**地反锁好，再自觉地坐回去，是吧？”

胖警探怎么会听不出福尔摩斯在讽刺自己，他哼了两声，提高音量说：“我说的可不是完全没有道理。昨晚两人有过争执，而且，小舒尔托走后就再也没人见过他哥哥。你发现没有，这家伙一直表现得很紧张、很心虚，要说他心里没鬼，谁都不信！哼，我们只要稍微审讯一下，他肯定就会全部交代了。”

胖警探认定凶手

福尔摩斯拿出那根棘刺，说："你看看这个，这是从死者头上取下来的毒刺。哦，桌上还有一张纸条，上面写着'四签名'。纸条旁边放着一根绑着石头的木棒。你觉得，它们之间没有半点联系，只是偶然出现在现场的吗？"

胖警探**气呼呼**地嘟囔："别人能用这根毒刺杀人，谁说小舒尔托不能？这张纸条嘛，不过是为了转移我们的注意力而使用的障眼法。你不会这么轻易就相信了吧？现在唯一的问题是，他是怎样离开犯罪现场的。既然不是从门窗出去的，那么……"他扫视了一遍房间，在抬头的时候突然大喊："指不定他是从屋顶出去的。"

为了验证自己的判断，他立刻扭着肥胖却灵活的身体爬上梯子，钻进了屋顶的阁楼。随即就听到他**惊喜的叫声**："你们快来看，这屋顶上真有个暗门。"

福尔摩斯想起了胖警探之前说过的话，现在原原本本地用在了胖警探自己身上："华生，他真是瞎猫碰上死耗子啊，发现了屋顶的暗门。不过，他刚才的分析，也不是完全没有道理。"

这时，胖警探琼斯爬下了梯子，得意地向福尔摩斯炫耀："看到没有？我的推断才是有理有据。屋顶真的有一扇暗门，现在还半开着呢！"

福尔摩斯耸了耸肩，说："那是我刚刚才打开的。"

"啊？是这样吗？"琼斯没料到福尔摩斯先他一步发现了暗门，情绪瞬间有些低落，"哎呀，不管是谁发现了暗门，反正凶手就是**从这里逃跑的**！"

对于这点，福尔摩斯也深信不疑。

"来人！来人！把小舒尔托先生带进来！"琼斯警探突然叫了起来。巡警很快把人带了进来。琼斯警探睁大亮晶晶的小眼睛说："小舒尔托先生，我现在正式宣布，警方怀疑你跟一宗谋杀案有关，请跟我们走一趟吧。"

小舒尔托绝望地举起了颤抖的双手，对着福尔摩斯和华生哭诉："我就说吧，他们真的把我当成凶手了！我是冤枉的啊！"说完，他像泄了气的皮球一样，整个人都蔫了。

福尔摩斯走过去拍拍他的肩膀，说："别担心，小舒尔托先生，**我会找到证据还你清白的**。”

琼斯警探尖声叫道：“别说大话了。你要是做不到的话，到时候会很没面子的！”

“琼斯先生，我不仅要帮他洗清罪名，而且要送你一个人情，告诉你**真凶的一些情况**。”福尔摩斯平静地说，“昨天晚上有两个人在这个房间里行凶，其中一个是叫乔纳森的中年男子，他皮肤黝黑，个子矮小，没读过什么书，应该有犯罪前科。他的右腿有残疾，装了个用木头做的假腿。哦，对了，他的手掌上有不少地方蹭破了皮。至于另外一个凶犯……”

“嗯？另一个？”琼斯警探瞪大眼睛问道。

福尔摩斯继续说：“另外一个是个**奇怪的家伙**，用不了多久，我会告诉你他是谁。不过，我现在有件更紧急的事情要办。”“华生……”他转过头喊道，“请过来一下。”

他把华生领到楼梯口，说：“这个突发状况让我们忘了最初来这里的目的。”

深夜任务

华生一拍脑袋，说：“哎呀！莫斯坦小姐！她还在楼下管家太太那里呢。我应该先送她回去，不能让她再留在这个可怕的地方了！我送完她再回来。”

“你把莫斯坦小姐送回去之后，麻烦去这个地方找一个叫谢尔曼的老头儿。”福尔摩斯告诉了华生一个地址，“他家窗户上画着一幅**鼬鼠抓小兔**的图画。你就跟他说，我要借他的托比用一用。”

华生反问道：“托比？我猜，托比是条狗吧？”

“托比可不是一般的狗，它是条**混血神犬**，嗅觉极其灵敏，伦敦所有的警犬加在一起都抵不过一条托比。”福尔摩斯说到托比，整个人都变得精神了，满脸自豪。

华生郑重地回答道：“好，我一定尽快把托比带回来。”

他坐上警察的马车，准备护送莫斯坦小姐回家。莫斯坦小姐像一个**美丽而又善良**的天使。在危难之中，只要旁边有人比她更脆弱，她总能保持镇定。华生去接她的时候，她还在努力安慰惊恐万分的管家太太，但是一坐进马车，她就情绪失控，无法抑制地大哭起来。

华生很想给她一个**安慰的拥抱**，可心里有一个声音在告诫自己：“要是这个案子破了，她就是英国最有钱的小姐，而我只不过是个穷医生。我跟她……是不会走到一起的。”那笔可能存在的宝物，成了华生和莫斯坦小姐之间的障碍。他闷声不响地呆坐在一旁。

大约凌晨两点，华生才将莫斯坦小姐送回到住处。然后，他立即动身赶往下一个目的地。他要完成福尔摩斯交代的任务——借那条**神奇的小狗托比**。

马车穿过一条条大街小巷，停在了一排两层的简易房屋前面。华生找到了窗户上画着鼬鼠抓小兔的房间，走上前咚咚地敲门。半天没人回应。**咚咚咚**！**咚咚咚**！他不死心，继续敲。“你这个醉鬼，给我走远一点！”窗户里探出一张凶巴巴的脸，冲着华生破口大骂，“你敢再敲下试试？信不信我放出四十三条大狗咬你！”

四十三条大狗？哦，不，福尔摩斯可没说他有这么多狗，真是太可怕了！华生赶紧拒绝道：“不，不，不，我只要一条狗就行。”

“还不快走开！”那个声音继续吼骂着，“再不走我就朝你扔锤子了！”

华生扯着脖子喊：“我不要锤子，我只要一条狗。”

“懒得跟你废话，我数到三，要么放狗，要么扔锤子，你自己选。”

“是福尔摩斯……”华生怕他真的放狗咬自己，赶紧大叫，“是福尔摩斯先生让我来的。”

这几个字**仿佛有魔力一般**。那人立刻关上窗，不到一分钟，门就开了。门里面是一个又高又瘦的老头儿，驼背，脖子上青筋毕露，戴着一副眼镜。

“福尔摩斯的朋友就是我的朋友，进来吧，先生，我叫谢尔曼。”老头儿像变了个人似的，十分热情，“嘿，小心

那只獾，它可是会咬人的。”他又对着有两只红眼睛的鼬鼠叫道：“去去去，你们是想咬这位先生吗？真淘气！赶紧走开。”他**喋喋不休**地念叨着：“先生不要害怕，这是只蛇蜥，没有毒，我养着它是用来捉虫子的。嘿嘿，刚才真是太不好意思了，主要是周围的孩子们经常来吵我，您可别往心里去。哦，对了，福尔摩斯先生要什么？”

“他要向您**借条狗**。”

“啊，那他肯定是要托比。”

神犬托比

“不错，就是托比。”

“托比住在左边 7 号笼子里。”老头儿谢尔曼举着蜡烛走在前面。在见到托比前，华生以为它是个精神的“帅小伙”，可走到它面前时，华生简直不敢相信自己的眼睛：这条狗长得也**太丑**了吧！黄白相间的长毛，耷拉着的耳朵，它居然就是福尔摩斯口中的神犬托比？更令人意想不到的是，它走起路来还摇摇晃晃的，一副**老态龙钟**的样子。华生实在想象不出它有多“神”。不过，他只能选择相信福尔摩斯，这位朋友的眼光总是没错的。

老头儿递给华生一颗糖，让他喂托比。华生乖乖照做。托比迟疑了一下，然后吧唧吧唧地把糖吃了，算是接受了华生这个朋友。一人一狗就此出发。一路上，托比安静地趴在华生的脚边，不吵不闹，着实乖巧。

当华生回到樱池别墅时，已经是凌晨三点。守门的人已经换成了两名警察。他们盘问了好一番，才肯放华生进门。

福尔摩斯正皱着眉站在台阶上，双手插在口袋里，嘴里衔着烟斗。看到托比，他取下**烟斗**，迎上前来：“啊，你把它带来了！太好了，这可是条好狗！辛苦你了，华生。”

华生憨憨地笑了笑。只要能帮得上忙，这点辛苦算得了什么！他朝四周看了看，发现少了好多人，于是问道：“他们人呢？”

“人呢？哼！”福尔摩斯生气地回答，“可恶的琼斯！他不但把小舒尔托抓了，而且把女管家、守门人和其他仆人全都抓走了。现在楼上除了一名警员外，就只剩你和我了。你把狗留在这里，我们上楼再找找线索去。”

华生把托比拴在一楼，和福尔摩斯再次来到楼上。房间里基本保持原样，只是多了一名警员，他正满脸疲态地斜靠在墙角。

福尔摩斯吩咐华生：“你带上手帕去蘸一些**木馏油**吧！对，就是那个小脚人踩过的木馏油。”接着他们脱掉鞋袜从洞口爬进了阁楼。

福尔摩斯重新用灯笼照着地面上的脚印，说：“你仔细看看这些脚印，看出什么不同了吗？”

华生一脸疑惑："我只看得出是小孩的脚印，没什么其他特别的啊。"

"你再看看。"福尔摩斯索性用自己的赤脚在那个小脚印旁边也踩了一个脚印，"现在看出来了吗？"

华生惊叫道："你的脚趾是并拢的，而小脚印的五个脚趾是分开的。"

"**对极了**！就是这一点。现在麻烦你到那个窗户前去，闻闻木框上有什么气味。"

华生凑上去吸了吸鼻子，啊，好刺鼻的味道啊！这味道就是他们之前发现的木馏油散发的。

"这都是**凶手留下的气味**。如果你能闻到，托比更能闻到。凶手的脚沾上了木馏油，那么他跑到哪里，就会把这味道带到哪里。托比一定可以追踪到他！你先下楼，我一会儿就下来。"

华生到楼下花园的时候，看到福尔摩斯出现在了屋顶上。他慢慢地在屋脊上爬行，胸前挂着一盏灯笼，看起来就像一只巨大的萤火虫在夜幕下移动。没一会儿，他突然消失不见了。

气味追踪

华生连忙绕到屋子的背面，他发现福尔摩斯正坐在屋檐的一角。

“华生，是你吗？”福尔摩斯的声音从空中飘来。

“是我，先生。”华生大声回答，“请问有什么可以帮忙的吗？”

福尔摩斯指着下面一团黑乎乎的东西说：“这里就是那个小脚人上下的地方。帮我看看这团东西是什么。”

华生检查完毕后回答：“是一只水桶。”

“有没有盖子？”

“有。”

“看见梯子没有？”

“没有。”

“这家伙真是太疯狂了！从这里上下可太危险了。”福尔摩斯感叹道，接着又像豁出去了似的，“既然他可以，那我也可以。咦，旁边那根水管挺结实的，正好可以借力一下。”很快，华生就听到窸窸窣窣的声音，只见一片灯光顺着墙体稳稳飘落下来。接着，萤火虫一般的福尔摩斯**轻轻一跳**，落在了木桶上，然后又跳到地上。

他得意地炫耀道：“看见没有？我也做到了！”

他穿上鞋袜，说出自己的新发现：“追踪这个人的足迹还算容易，一路上的瓦片都被他踩松了。对了，他在匆忙中把一个重要的东西落下了。”

说完，他掏出一样东西。这是一个上过色的草编袋子，外面坠着几颗不值钱的小珠子。里面装着的东西让人**触目惊心**——那是六根黑色的木刺，和之前在死者头上发现的一模一样，一头尖一头钝。

华生伸手去接，福尔摩斯提醒道：“这是**凶器**，剧毒无比，小心别被扎到了。”华生连忙把手缩了回去。

福尔摩斯捏着毒刺继续说：“看来我们的运气还不错。他剩下的毒刺应该全在这里，身上估计没有了，所以我们不用再担心。说真的，我宁愿挨枪子儿，也不愿意被这玩意儿扎一下。华生，你的腿还能再跑吗？我们得出发去追疑犯了！”华生的腿之前受过伤，按理说是经不起过度劳累的。

“我能受得了，**完全没问题**。”华生拍着胸脯保证。

“行！那……托比，过来！”福尔摩斯招呼那条神奇的小狗，“快闻闻，托比，闻闻这个。”他把蘸着木馏油的手帕放到托比的鼻子跟前，**让它记住这种气味**。

托比专注地昂着头，像品酒师在品尝佳酿一样使劲地嗅着。福尔摩斯把手帕扔了出去，又在托比的脖子上套了一根结实的绳子，牵着它来到木桶边。托比立刻兴奋起来，狂叫不止：“汪汪汪——汪汪汪——”看来，它能清楚地辨认出这种气味。

托比撒开腿，一路追踪疑犯留下的气味，朝前奔去。福尔摩斯和华生需要小跑才能跟上。东方渐露鱼肚白，在清冷的晨光中，视线变得明朗起来。樱池别墅的高墙光秃秃的，孤独地耸立在那里，窗子上**暗淡无光**。

托比先是绕着墙边奔跑，后来在一个墙角停了下来。那里有些砖块已经松动，而且砖块的边缘磨损得很严重。很明显，经常有人踩在上面爬进爬出。

福尔摩斯毫不犹豫地爬上了墙，又从华生手里接过托比，从另一面把它放了下去，华生随后也爬了上去。

“看，墙上有那个木腿人的手印，白墙上还有淡淡的血迹。”福尔摩斯很是庆幸，“幸亏昨晚没下雨啊！所以就算隔了二十八个小时，路上还能留下他们的气味。”

伦敦的街道上，车马、行人**络绎不绝**，空气中混杂着各种味道，但托比一路坚定地向前奔跑。显然，木馏油的气味比其他气味强烈得多。

“四签名”的来历

福尔摩斯说：“别以为碰巧有人踩到了木馏油，我才能破案，事实上我还有其他办法可以抓到凶手。不过，呵呵，老天既然给了一个最方便、最快捷的方法，我为什么不用呢？只是嘛，这个办法显示不出我的**办案能力**。”

“我可不这么认为。”华生立刻反驳道，“你的办案手法够玄妙、够惊人了！比如说那个装有木腿的人，你到底是怎么推理出来的？”

福尔摩斯笑了笑，说：“嘿嘿！老兄，所有的事情都摆在眼前。来，我给你讲讲这是个什么样的故事吧。”他娓娓道来，讲起了**一个传奇的故事**。

“有四个人在一个隐秘的地方藏了一大笔宝藏，其中一个叫乔纳森的英国人画了张藏宝图，还在上面郑重地签上了自己和同伴的名字，这就是所谓的‘四签名’。后来，藏宝图落到了两位看守监狱的军官手里。对，就是莫斯坦上尉的那张建筑图。应该说，是乔纳森他们主动把藏宝图交出来的。因为当时他们都还在监狱坐牢，出不来。他们肯定跟军官做了某种约定。最终，这两位军官，或者其中的一位果然找到了宝藏，把宝藏带回了英国，但是呢，他没有履行先前的约定，否则，就不会有后面的事了。”

华生仿佛在听**天方夜谭**：“可是……这些都只是你的猜测，并不代表是事实吧。”

“不，这不叫猜测，而是**唯一可能的假设**。我们往下推演，看看跟事实是不是相符吧。”福尔摩斯开始了他的推理，“你还记得吧？舒尔托少校回国后，曾过了几年舒心的日子。后来，他收到一封来自印度的信，看过信以后便惊恐万分，甚至**一病不起**。信里面到底说了什么，让他如此害怕？”

华生大胆猜测道：“信上说，那些被他欺骗的囚犯刑满释放了。”

“哼哼，不是刑满释放，而是越狱！作为监狱军官，他们肯定知道犯人的刑期啊。如果是刑满释放的话，他不会觉得这么突然。你还记得吗？舒尔托少校对装有木腿的人特别警惕，还曾经开枪打伤过一个装木腿的商贩，那个商贩是白种人，说明他怕的那个木腿人是个白种人。而在那张图上，只有乔纳森是**白种人的名字**。所以，我们有理由相信，那个装木腿的人就是乔纳森。对于这个推理，你觉得有问题吗？”

华生恍然大悟道：“哦，完全没有问题，你的推理真是清晰明了。”

“很好！现在，我们站在乔纳森的立场上去想一想。他来英国只有两个目的：一是夺回属于自己的财宝，二是报仇。他很快找到了舒尔托少校的住处，还可能买通了他的一个仆人当内线。可惜，就连这个内线也不知道财宝到底藏在哪里。那天，他得知少校病危，一下就慌了。要是财宝的秘密跟着少校一起被埋到地下，那不就麻烦了？所以，他连夜潜入院子，还出现在了少校的窗前。当时少校的两个儿子在场，他没找到机会进屋。第二天，他又摸进少校的房间翻箱倒柜，满屋子搜寻，还是**一无所获**。离开前，他故意留下一张纸，写下了‘四签名’。像这类的复仇案件有很多。凶手故意留下线索，这相当于在发出**复仇宣言**。我这么说，你能听明白吗？”

托比锁定方向

华生忍不住频频点头。福尔摩斯继续**抽丝剥茧**般地分析案情："接下来乔纳森该怎么办呢？不难猜测，他只能继续暗中调查财宝的下落。终于，少校的儿子在阁楼上找到了财宝，马上就有人给他报信，这说明，他确实有内线。乔纳森装着木腿，无论如何也爬不上樱池别墅屋顶的阁楼，所以，他找了个帮手回来。可是，这个帮手不小心踩到了木馏油，给我们留下了重要的线索。这不，托比就上场了。"

听福尔摩斯这么一通分析，华生**大开眼界**。他也大胆推测："那么，杀人的不是乔纳森，而是他的同伴？"

"不错，对极了！"福尔摩斯点头表示赞同，"乔纳森对同伴杀人应该感到非常恼火！这从他进屋后用力跺脚的脚印可以看出来。他和少校的儿子没有什么仇怨，犯不着惹上人命案，他只想拿回财宝。谁知他那同伴突然兽性大发，**用毒刺杀人**，他想挽回也来不及了，就干脆留下一张纸条，然后带着财宝离开了。至于乔纳森的外貌嘛，他是个皮肤黝黑的中年男人，这跟他长期待在热带地区有关。还有，舒尔托兄弟俩曾经看到窗户上有张毛茸茸的脸，他的脸上长满了胡须。”

“那……那个同伴呢？”华生又问。

“他呀，他没什么神秘的，很快你就知道了。”福尔摩斯**卖了个关子**。

早晨的空气非常清新，太阳给大片的云彩镶上了红边，远远望去，像红鹤的羽毛那么美丽。两人大口呼吸着新鲜自由的空气。福尔摩斯突然问道：“华生，你带枪了没？”

“啊？”华生有些愣神，结结巴巴地回答，“没……没带，我……我只有一根手杖。”

福尔摩斯瞅了一眼他的手杖，**不露声色**地说：“要是找到了他们的藏身之地，这玩意儿也能派得上用场。我把乔纳森交给你负责。至于他的同伴，太危险了！我们得小心点。”说着，他掏出**手枪**，装上子弹，又放回到大衣的口袋里。

两人跟着托比走到了通往伦敦市区的路上，两边是一排排的乡间别墅。这个点，人们都陆续出门了，街道变得热闹起来。托比带领他们穿过许多小街小巷。看来，和宽阔的大街相比，罪犯总是喜欢走小路。

骑士街

不知不觉，他们来到了骑士街。这时，托比不再向前。它的一只耳朵竖立着，一只耳朵耷拉着，在原地跑来跑去，一副**犹豫不决**的样子。最后，它抬起头眼巴巴地望着福尔摩斯，像是在寻求指示。

福尔摩斯皱着眉说："怎么突然停下了，这是怎么回事？他们不可能坐马车跑了，更不可能是坐气球飞了啊。"

华生推测道："他们可能在这里停留了一会儿。"

"嗯，应该是的。你看，它又开始追踪了。"

托比吸着鼻子四处嗅了嗅，突然**选准方向**飞奔起来。这一路上，它从来没有像现在这样坚决肯定，甚至不用贴着地面闻气味，而是直接朝前狂奔。很显然，空气中木馏油的气味更浓了。

见到这一幕，福尔摩斯两眼发光，哈哈大笑。离目标**越来越近了**！

托比带着他们俩跑过一条长街，来到一个酒店旁边的大木场。这时候的托比变得异常兴奋。它跑进工人们工作的大院，腾腾腾地穿过成堆的锯木和刨花，最后汪汪叫着跳到一辆手推车上的木桶上。它伸出舌头，**得意扬扬**地望着福尔摩斯。

线索中断

只见那木桶和车轮上啊，到处都是黑色的油渍，空气中散发着浓重的木馏油的气味。这……**全错了**！**全错了**！原本指望托比闻着木馏油的味道能追踪到罪犯，结果，它竟然追踪到了一辆运送木馏油的推车！福尔摩斯和华生对视了一眼，不禁无奈地苦笑起来。

华生嘀咕着："唉，罪犯留下的木馏油味道，和这辆木馏油车的味道混杂在一起，把托比都弄糊涂了！这下好了，小脚人被跟丢了，好不容易找到的线索又断了。到底……托比是在哪里**出错**的呢？"

福尔摩斯把托比从木桶上抱下来，牵着它走出了木场，说道："这也不能怪托比，它只是凭着气味找方向。是我们忽略了，伦敦街上每天运输木馏油的车子**不计其数**，托比跟错目标也就不奇怪了。"

"那么，咱们要回到原来的地方，循着气味重新找路吗？"

“**到骑士街去**，幸亏路不远。托比刚才就是在那里有些犹豫，问题应该就出在那里。”

他们牵着托比又回到了骑士街。托比在那里转了几圈，很快找到了一个新的方向，撒开腿继续奔跑。

“这次不会错了吧？”华生还是不放心。

福尔摩斯一副胸有成竹的样子：“你看，托比现在带我们走的都是人行道。如果是运输木馏油的车，怎么会走人行道？这回肯定错不了。”

托比似乎是为了证明自己，跑得特别带劲，一溜烟跑过大街小巷，一直朝河边奔去，到了一个用木头搭建的小码头那里才停了下来。

“啊！”望着幽深的河水，福尔摩斯大失所望，“真是**功亏一篑**，他们从这里坐船走啦。托比的鼻子派不上用场了！”

码头边的水面上停靠着好几条小船和快艇。福尔摩斯不甘心地把托比带到船上挨个闻了一遍，托比却再也嗅不到凶手的半点气息。

靠近登船的地方有一所小砖房，窗子上挂着一块木牌，上面写着："史密斯　船只出租"。

福尔摩斯叹了一口气，说："在这里想租条船很容易。唉，看来**他们提前都准备好了**。"

他朝那所房子走去，门里正好跑出一个六岁左右的鬈发小男孩，后面紧跟着一个肥胖的红脸女人，她手上拿着一块海绵大叫："杰克，快回来洗澡！你这个淘气鬼，等你爸回来看到你这个样子，肯定得狠狠揍你一顿。"

小男孩才不听胖女人的话，边跑边朝妈妈做鬼脸。

福尔摩斯趁机拦下小男孩，问道："嘿，可爱的小家伙，你叫杰克，对吗？"

小男孩点点头，眨巴着两只大眼睛看着福尔摩斯。胖女人追了上来，说：“先生，您不知道，这孩子可淘气着呢！他爸爸不在，我都管不住他。”

“啊？史密斯先生不在吗？”福尔摩斯装作很失望的样子，“那太遗憾了，我正好有事找他呢。”

“真是太不好意思了，他昨天一大早就出去了。”胖女人怕到手的生意跑了，急忙**毛遂自荐**，“先生，如果您要租船的话，跟我说也一样。”

“曙光号”

福尔摩斯对胖女人说：“我想租一艘蒸汽船。”

“啊，那太不凑巧了！”胖女人回答道，“蒸汽船没有了，他就是坐蒸汽船走的。唉，我正担心他呢！他要去的地方实在太远了，在**伦敦的东南角**，船上的煤都不够他来回。要是坐那艘平底船就好了。”

原来是往那个方向去的。福尔摩斯安慰胖女人：“您也别太担心了，在沿途的码头他会买好煤的。”

“先生，码头是有煤卖，但我知道他肯定不会买。他一直抱怨零散的煤太贵。唉，这事都怪那个**装了木腿的家伙**，我特别讨厌他怪里怪气的腔调，也不知道他跑这里来干吗。”

“哦？一个装木腿的人？”福尔摩斯故意**轻描淡写**地问道。

“是啊，一个满脸长着棕毛的男人，看起来像只猴子一样。他来找过我家男人好几次了。昨天晚上我男人好像知道他要来，早早把蒸汽船的火点着了。不瞒您说，先生，我真的很担心他。”

“夫人，或许是您想多了。您怎么知道这回的客人就是那个装木腿的男人呢？”

“我认得他粗重的口音，很有特色。他敲了几下窗户，说：‘起来了伙计，我们该出发了。’当时大概凌晨三点的样子，我男人把我大儿子叫醒，他们一块儿走了，什么话都没有跟我说。我还听到那条木腿踩在石头上，咔嗒咔嗒地响。”

“只有他一个人吗？”

胖女人摊开双手，努努嘴，说：“那我就不确定了。反正

我没听到其他人的声音。”

福尔摩斯耸了耸肩，说：“哎呀，真遗憾！夫人，我想租的就是那艘蒸汽船，它叫……什么名字来着？我突然想不起来了。”

“先生，是‘**曙光号**’。”

“啊，对！就是那艘绿色的船，船身上涂着黄色的粗线条，对吧？”福尔摩斯继续套话。

“不，不是的。”胖女人果然上当了，她纠正道，“跟这里停着的其他船一样，刚刷的油漆，是**黑色的船身**，上面画了两条红线。”

“对对对！瞧我这记性！”福尔摩斯假装恍然大悟，“谢谢您，夫人。我现在要到下游去，如果碰到您先生，我会告诉他，您很担心他。对了，您刚才说船的烟囱是黑色的？”

“不，是**有白线的黑烟囱**。”

“啊，是我记错了！船身是黑色的。好吧，再见了，史密斯夫人。”

跟船主太太告别后，华生兴奋地说：“现在我们的线索又连上了。”

“你觉得我们下一步应该怎么做？”福尔摩斯开始考验华生。

“雇一条船，一路追踪‘曙光号’。”

“哦，我的朋友，那就太慢啦！这途中会有很多个码头，他们有可能停靠在任何一个码头，我们要是一个个查，既浪费时间，又找不到人。”

“那……就请警察帮忙。”

“不行，绝对不行！”福尔摩斯连连摇头，“不到万不得已，我是不会请他们帮忙的。已经追查到这一步了，剩下的，我希望靠我们自己的力量破案。”

“那要不……我们去登个告示？”华生继续**出谋划策**，“让码头的人多多留意‘曙光号’？”

“这真是个馊主意，糟糕透顶！”

贝克街小分队出场

福尔摩斯解释道："一旦登报，嫌疑犯就会知道，我们正跟在他们屁股后头穷追不舍呢。这样只会**打草惊蛇**，让他们更快地逃离伦敦。相反，如果能让他们放松警惕，以为自己是安全的，也许他们不会急着远走高飞。哈哈，话说回来，胖警探琼斯自以为是的举动对我们倒是很有利。把每天的破案进度**大张旗鼓**地刊登在报纸上，嫌疑犯看到警察的错误判断，估计心里正乐开花呢，更不会急着逃跑。"

华生听完佩服得五体投地，又问："那接下来我们要怎么做呢？"

"先回家，吃完早餐后美美地睡上一觉，养足精神，晚上再行动。对了，我去发个电报。"

华生好奇地问："发给谁？"

"还记得**贝克街侦查小分队**吗？上个案子他们就立了功。"

华生想起了那帮能干的小小流浪汉，笑着点头："原来是他们呀。"

"没错，我让他们一会儿到公寓跟我们碰头。"

总算回到了贝克街的公寓。这一夜奔波下来，华生早就累坏了。他洗了个热水澡好好放松了一下，便下楼吃早餐。福尔摩斯正喝着咖啡。他指着一张摊开的报纸笑着说："快过来看。果然不出所料，那群自大的警探和一帮可笑的记者给这个案子下结论了。"

华生接过报纸，看到一个大大的标题——"樱池别墅谜案"。嗬，下面白纸黑字写着，警察已经认定，小舒尔托就是杀害他哥哥的凶手。

就在这时，门铃突然响了，接着是房东太太恼怒的咆哮声："站住！你们这些小崽子，快站住！"

伴随着一阵乒乒乓乓的声音，十几个衣衫褴褛的小流浪汉钻了进来。

别看他们闹哄哄的，却也有些纪律，一进门就自动站成一排。其中一个年纪较大、个子较高的男孩跨出一步，这是他们的头儿维金斯。他精神抖擞地说："先生，听从您的命令，我把他们都带来了。"他神气十足，跟一身的邋遢打扮

格格不入，看起来很是滑稽好笑。

福尔摩斯从口袋里掏出一把零钱递给他，说："维金斯，这些钱你们拿着，报酬还按以前的规矩。事情如果办得好，另有重赏。还有啊，以后有什么事你一个人来跟我报告就好了，房东太太的耳朵快被你们吵聋了！来，我跟你说一下这次的任务。"

队长维金斯竖起耳朵仔细听。

"我要找一艘叫'曙光号'的蒸汽船，船长是史密斯，黑色的船身上画了两条红线，烟囱也是黑色的，上面有白色条纹。船应该在下游，你派个人蹲守在下游监狱对面的**码头附近**，它一靠岸就来向我报告。听明白了吗？"

"明白了，长官。"

小脚男人的来历

队长维金斯带着小小流浪汉们闹哄哄地下楼去了。

福尔摩斯点燃**烟斗**，信心十足地说："只要这艘船还在水面上，这些小家伙就有一百种办法找到它。我估计傍晚前就会有消息了。现在我们要做的就是一件事——等。在找到'曙光号'之前，我们什么也干不了！"

华生关切地问："福尔摩斯，你需要休息一下吗？"

"用不着休息。我的体质跟别人不同，一工作起来就不会觉得累。哈哈，没事干的时候才会**萎靡不振**。说起来，这案子也简单，**罪犯有自己的特点**，找起来不难。"

华生问："你指的是留下小脚印的那个人吗？"

"对，就是他。咱们来理理思路。那人长着一对迷你小脚，脚趾一根根分开，身手敏捷，随身带着有毒的棘刺。此外，我们还从案发现场发现了绑着石块的木棒。从这些线索中你能想到什么？"

华生沉思了一会儿，推测道：“很落后的杀人武器。凶手会不会来自印度的某个野蛮部落？”

福尔摩斯伸手从书架上取下一本厚厚的书，翻到其中一页，说：“安达曼群岛位于孟加拉湾，这里气候潮湿，有鲨鱼、白杨树——啊，找到了！**安达曼群岛的土著人**是世界上个头最矮小的人种，平均身高不到一米三，甚至有很多成年人还达不到这个高度。他们生性凶狠、残暴，但只要能获得他们的信任，他们就会对人掏心掏肺、**忠心耿耿**。”

华生的眼睛顿时亮了起来。

“下面才是重点。”福尔摩斯接着说，“他们相貌丑陋，五官扭曲畸形，眼睛小而凶狠，手和脚也特别小。这些人虽然身形矮小，却十分凶狠，常常用绑着石块的木棒去攻击落难的船员，或者用毒箭射杀别人。对于他们的暴行，英国政府也**束手无策**。”

华生听到这里，忍不住打了个激灵，鸡皮疙瘩都起来了。

福尔摩斯感叹道：“乔纳森真是把一个定时炸弹安在了自己身边哪！华生，如果继续对那家伙放任不管，后果将不堪设想！”

“可他怎么就找了个这么**残暴古怪的同伙**呢？”华生

监狱

很是纳闷。

“乔纳森之前应该是**被关在安达曼群岛**，那么他和这个土著扯上关系也就没什么好奇怪的了。”

福尔摩斯正要往下说，看到华生一脸疲惫的神色，就改口道：“好啦，华生，我看你累了，不如躺到沙发上，好好睡上一觉吧。”

他从墙角拿起小提琴拉了起来。低沉、悠扬的曲调响起，华生在不知不觉中沉沉睡去。在梦中，他看到了莫斯坦小姐，对着他甜甜地笑。

华生这一觉睡到了下午，醒来后精神抖擞。他看到福尔摩斯正在旁边埋头看书，但是愁容满面，于是问道：“怎么了？有什么消息吗？”

福尔摩斯**闷闷不乐**地回答：“很不幸，什么消息也没有。维金斯刚刚来跟我报告，他们没有发现‘曙光号’的半点踪迹。真是急死人了，现在一分一秒都耽误不得。”

“需要我做什么吗？我现在精神十足，再熬个通宵也没有问题。”

“暂时不需要，我们现在什么也干不了，只能等下去。不过你可以自由活动，我留在这里等消息。”

消失的"曙光号"

听到自己可以自由活动，华生支支吾吾地说："呃……那我去一趟塞西尔夫人那里。"他想起了那个美梦，**避重就轻**地说："昨天……夫人让我过去一趟。"

"是吗？"福尔摩斯笑得**耐人寻味**，"只是去看望塞西尔夫人吗？"

华生当然知道自己瞒不过福尔摩斯的眼睛，只好如实回答："当然……还有莫斯坦小姐。她们……一定都急着想了解更多的情况。"

等华生回到家时，天色已经完全暗了下来。福尔摩斯却**不见了踪影**，只有书和烟斗放在原地。

他忍不住问房东太太："请问，福尔摩斯是出去了吗？"

"哦，不，先生，他只是回自己的房间去了，您不知道吗？"她突然压低了声音，"先生，我担心他是生病了。"

"怎么会呢？"华生诧异地问，"房东太太，您怎么知道他生病了？”

房东太太一脸神秘地说：“他的举动**太怪异了**！您出门后，他就不停地走啊走啊，那脚步声真是把我烦死了！只要有人按门铃，他就会跑到楼梯口大声问：‘房东太太，是谁？’现在，他又把自己关在房间里，来来回回地走。”

那一整个晚上，福尔摩斯都没有从房间里出来。华生也没睡好，耳边不时传来福尔摩斯的脚步声。

第二天吃早餐时，福尔摩斯总算现身了。华生很少看到他这么疲惫的样子，双眼无神，两颊发红。“你这样会把身体搞垮的，老伙计。我昨晚听到你来来回回走了一晚上。”

“唉，睡不着。”福尔摩斯大方地承认，“这件事真让我**伤透了脑筋**。大难题都解决了，却被一个小小的障碍困住了！我把所有能用的手段都用上了，还是没有那艘蒸汽船的消息。我差点儿以为他们把那船凿沉了。当然了，他们没有理由这么干。”

“会不会是……史密斯太太在撒谎？根本没有木腿人租了她家的蒸汽船？”华生心生疑问。

“不会，这点可以排除。我调查清楚了，确实有这艘船。”

“难道，他们去了上游？”

“我也想到了这个可能性，派了人去上游找。如果今天还是没有消息的话，明天我得亲自出马去找嫌疑犯了！”

又一整天过去了，还是没有任何消息传来。伦敦所有的报纸都报道了这个惨案。大家一致认为，小舒尔托是杀人犯。

福尔摩斯摆着个臭脸，无论华生问他什么，都一概不理。晚上他把自己关在房间里做**化学实验**，一股怪味弥漫在屋子里，臭气熏天，差点没把华生熏跑！

第二天清晨，华生从睡梦中睁开眼睛，猛地发现福尔摩斯站在他床边，穿着一件厚呢大衣，裹着一条红围巾。

“我要去下游看看，华生。”他说，“我想了一晚上，目前只有这个办法了，无论如何都要试一试。”

“那我跟你一起去，行吗？”华生很想助他**一臂之力**。

“不行！你得留下来等消息。万一有电报或其他什么消息送来这里，你就**见机行事**，如何？”

“没问题！”

遇到难题

福尔摩斯走后，华生翻了翻报纸。呀！警方发布了关于案件的新消息。太好了！他们终于澄清了，小舒尔托不是凶手！华生高兴极了，那个善良的可怜人总算被**洗清了罪名**。他继续浏览报纸，突然，角落里的一则寻人启事吸引了他的注意力：寻找船主史密斯。落款是史密斯夫人，但联络地址写的是贝克街221B。那不就是他们这间公寓的地址吗？不用说，这肯定出自福尔摩斯之手。这看起来就像是一则普通的寻人启事，应该不会让嫌疑犯起疑心。

又是漫长的一天，华生独自在家等消息。每次听到楼下的敲门声，或者街上有沉重的脚步声，他都**屏气凝神**，还以为是福尔摩斯回来了。

大概下午三点的时候，门铃声突然响起。来的人竟然是胖警探琼斯。几天不见，他完全变了副模样，之前那不可一世的样子不见了，随之而来的是满脸的惭愧和歉意。

“你好，先生。”他一见到华生就说，“我知道福尔摩斯先生出门了。”

“是的，我也不知道他什么时候能回来。你可以留在这里等他。”

“谢谢你。”琼斯警探掏出一块红手帕不停地擦拭脸上的汗，嘴里念叨着，“这天气有点热，我都有点吃不消了。”

“需要喝点儿东西吗？”华生问。

“那就来半杯吧，谢谢。”琼斯警探**涨红了脸**说，“我之前对樱池别墅的案情分析，嗯……应该是错的……你肯定也知道了。”

“哦，我看了报纸。”华生回答道。

“唉，我本来已经牢牢地把小舒尔托兜在网里了，谁知半路上这家伙又从网眼溜了出去。那晚他离开哥哥以后，一直跟其他人在一起，有**不在场的证明**。那么，爬上房顶，从暗门钻进凶案现场的就肯定不是他。现在，我对这个案子实在是毫无头绪，声誉也受到了影响，所以……我想……想请福尔摩斯先生帮帮我。”

“谁没有寻求帮助的时候呢？”华生倒是庆幸他总算是亡羊补牢，为时未晚。

“福尔摩斯是个了不起的人物，这世上就没有他破不了的案子。不怕你笑话，我真是**望尘莫及**！今天早上我收到他的一封电报，知道这案子有了新线索。”说着，他从口袋里掏出电报递给华生，这是中午十二点发出的。

“速到贝克街等我。我已发现嫌疑犯踪迹，若要参与破案，今晚一起行动。”

华生看完电报，高兴地说：“真是太好了！看来他把断了的线索重新连上了。”

这时，楼下传来了敲门声。“是不是福尔摩斯回来了？”琼斯警探露出了惊喜的表情。

不过，上楼的脚步声很沉重，走几步停一停，好像爬楼很费劲似的。华生开门一看，发现门口站着一位陌生的老人，他手里拄着根拐杖，一身水手打扮，外面套着一件大衣，弯腰驼背，两腿哆哆嗦嗦的，嘴里喘着粗气。

“老人家，您有什么事吗？”华生问。

老人走进门，慢吞吞地扫视了一遍房间，说：“请问福尔摩斯先生在吗？”

“不在，不过我可以代表他。您有事跟我说就行了。”

“不行。”老人严肃地拒绝，“我要跟他本人说。”

华生试探着打听：“是跟史密斯的**蒸汽船**有关吗？”

“是的，我知道船在哪里，也知道他要找的人在什么地方，我甚至知道藏宝的地方，所有的一切我都知道。”老人神秘地说。

奇怪的老人

华生和琼斯警探眼睛发光，紧盯着老人。

“我只跟他一个人说。”老人坚持这么说，一副**倔老头儿**的模样。

“好吧，那您只能在这里等他回来了。”

“不行，我不可能等他一整天。既然他不在，我就先走了，让他自己去找吧。”老人说着就慢慢朝门口挪去。琼斯警探赶紧跑上前，用肥胖的身体堵住了大门，说：“等一下，老先生，您的消息对我们真的很重要，请留下来，等我们的朋友回来吧。”

老人出不去，气坏了，拿拐杖**用力敲着地板**大声说：“你们这样子太过分了！凭什么不让我离开？真是太没有礼貌了！”他气呼呼地走到沙发前一屁股坐了下来。华生和琼斯警探好声好气地安抚了他一会儿，接着便抽着雪茄又聊起天来。

突然，房间里传来了福尔摩斯的声音："先生们，不给我一支雪茄吗？"

两人惊愕地往发出声音的地方一看，沙发上的老人已经不见了踪影，而福尔摩斯正翘着二郎腿坐在那里。

华生惊呼道："啊，福尔摩斯，你什么时候回来的？刚才那个老人去哪里了？"

"老人就在这里。"福尔摩斯像**变戏法似的**拿出白头发和白胡须，得意地向两人炫耀，"看！假发、假胡须都在这里。我这化装技术不赖吧？把你们都骗过去了。"

"啊！你这个家伙！不去当演员真是太可惜了！"胖警探琼斯半天才回过神来，"你那咳嗽跟真的一样，双腿还一直发抖。你就这模样上街去乞讨的话，我敢肯定会有很多人给你扔钱！不过，多少还是有一点破绽——你那**犀利的眼神**是藏不住的。"

"哈哈，为了化这个装我可是忙活了一早上。"福尔摩斯说着点燃了雪茄，慢悠悠地解释，"现在很多人都知道我，特别是华生把我破获的案子写成了书。我要是不**乔装打扮**后出门，被罪犯认出来就麻烦了。"

琼斯警探抱怨道："那案子糟透了！抓到的嫌疑犯因为证

据不足给放了。”

“那两个人本来就是无辜的。”福尔摩斯说，“你放心，我会帮你抓到**真正的罪犯**！如果你肯听我的安排，到时候，抓捕犯人的功劳全归你。”

“没问题。”琼斯警探一口答应，反正他的目标只是那两个罪犯。

“首先，我需要一艘蒸汽船，**晚上七点在码头待命**。还要两名英勇的警员协助我。”

“都满足你。还有别的要求吗？”

“如果一切顺利，我们就能找到那笔财宝了。到时候请将财宝中的一半归还给莫斯坦小姐，可以吧？”

“呃……”琼斯警探犹豫了一会儿，最终还是答应了。

福尔摩斯想了想，又提出另一个要求：“还有一件事。嫌疑犯中有个叫乔纳森的，到时我想私下提审他，有些问题我还没搞明白。你不会反对吧？”

“啊！这个没有关系。”琼斯警探答应得非常爽快，“现在还没有足够的证据证明有这个人。只要你将他**捉拿归案**，我不反对你先审讯他。还有其他要求吗？”

行动前的晚宴

福尔摩斯乐呵呵地说："那现在嘛，邀请你跟我们共进晚餐。我准备了生蚝和一对野鸡，还有些好酒，哈哈！"

三个人坐下来共进晚餐。因为有了新的线索，大家的心情都变得轻松愉快，三个人在饭桌上侃侃而谈，开怀畅饮，仿佛忘了接下来还有一场任务艰巨的**冒险行动**。福尔摩斯举起酒杯，说："来，再干一杯，预祝今晚的行动圆满成功！"

"干杯——"

"干杯——"

饭后，福尔摩斯看了看表，已经到了傍晚六点，他的脸色变得严肃起来，说："准备出发！华生，你有**手枪**吗？"

"抽屉里有一支我以前当兵时用过的枪。"

"你最好把它带上。我们现在去码头，走吧！"

三个人下楼坐上马车，一小时后来到了码头。琼斯警探早已安排人准备好蒸汽船在那里等他们。福尔摩斯仔细检查了一番问："船上有没有让人一看就知道是警察的标志？"

"有，船边上的绿灯。"

"摘掉。"

蒸汽船出发了，驶入伦敦著名的泰晤士河。它的速度很快，把一艘艘平底船和其他蒸汽船都抛在了身后。福尔摩斯满意地笑着说："照这样的速度，什么船都能追得上。必须要**追上'曙光号'**，它是出了名的快！"他转头对华生说："你记不记得之前我跟你说过，有个**不起眼的障碍**把我难住了。"

"记得。"华生当然记得那天的福尔摩斯有多么烦躁，他可是整整折腾了一晚上没睡觉。

福尔摩斯笑道："哈哈，那天晚上我去做化学实验了！有位伟人说过，换另一种工作干是最好的休息方式。这话很有道理。我做完实验后，又去想这个障碍，顿时**豁然开朗**。乔纳森这个人还挺聪明的，事情做得滴水不漏。但我坚信，他们不可能**无缘无故**消失在水面上，我派出那么多人都找不到他们，只能说明一个问题。"

华生问道："他们都藏起来了？那他们的蒸汽船呢？那么大一艘船，能藏在哪里？"

“这个问题你算是问到重点了。”福尔摩斯笑着说，“我之前一直想着它可能停泊在哪里，但我忽略了一个地方——**修船厂**！船停在那里不容易被发现，而且一旦有风吹草动，他们立刻就能把船开走，神不知，鬼不觉。”

“哎呀……这还真是没想到！”华生有点错愕。

“所以，我换上水手服去修船厂**挨家挨户**地打听。在前十五家都没有半点收获，直到第十六家，嘿嘿，老天有眼，让我打听到了！两天前有个装木腿的人把‘曙光号’送到那里，请人修理船舵。”

华生不明白地问：“嗯，船舵出问题了？”

“船舵当然没有问题。修船厂的工人告诉我说，上面只是缠了几根红线而已。正当我们说话的时候，走过来一个人，看样子喝了不少酒，走路**东倒西歪**的，嘴里嚷嚷着：‘史密斯的“曙光号”……

给我提前准备好了！晚上八点，两位客人要用船！’哈哈哈，他就是失踪了好几天的史密斯先生。乔纳森应该给了他不少钱，因为他拍着装满银币的口袋四处炫耀，叮叮当当地响。我跟踪了他一段路，看到他拐进一家酒馆，才赶紧回来了。有个小帮手替我在那里盯着‘曙光号’。那船一开动，他就会向我们挥动手帕发送**暗号**。”

“曙光号”现身

华生忍不住赞叹道：“妙啊！真是妙！”

“这样一来，我们就如同**瓮中捉鳖**。要是还不能人赃俱获，真是奇怪了。”福尔摩斯说话时眉飞色舞，仿佛胜利的号角已经吹响。

“不管他们是不是真凶，你的整个计划都安排得**天衣无缝**。这要换成我，直接就安排警察逮人了。”琼斯警探被福尔摩斯折服了，忍不住把心里话都说了出来。

“噢！我亲爱的朋友，你千万别这么干！乔纳森那家伙可狡猾了，他肯定会派人暗中观察，万一有什么风吹草动，他又会消失得无影无踪了。”

“福尔摩斯，我有一点不明白。”华生说，“你都发现史密斯了，那只要跟着他，不就可以**顺藤摸瓜**找到嫌疑犯的老窝吗？这样不是更简单？”

福尔摩斯摇摇头，说：“那是白费心机。我们现在面对的是狡猾的恶魔！他们是不会让史密斯知道住处的。至于史密斯，他只要有钱花，有酒喝，就不会管他们住在哪里。”

说话间，他们的船穿过了横跨在河面上的一座座大桥。出市区的时候，夕阳的余晖将远处教堂的尖顶照得金光闪闪。渐渐地，天色暗了下来。

“快看。”福尔摩斯指着河岸附近密集的桅杆和船帆，兴奋地说，“就是那个修船厂！我们正好借着这些船做掩护，在四周游荡一会儿。”他从口袋里掏出一副夜视望远镜，观察岸上的动静。“啊，我看到那个小帮手了！他就在岸边，但是还没有挥动手帕。”

“我们索性往下游开去，拦在前面等他们！”琼斯警探有点按捺不住了，恨不得立刻插上两只翅膀飞过去，把那两个嫌疑犯捉拿归案。

“做事情不能那么冲动，要三思而后行。虽然他们去下游的可能性很大，但也不能排除会去上游。我们现在可是处在绝佳的位置，可上可下，而且，我们可以看到他们，他们却看不到我们。所以待在这里是最好的。”

琼斯觉得有道理，也就不再坚持了。大家先按兵不动。这时候，夜幕已经降临，一轮圆月高挂在空中。远处船坞的工人们在煤油灯的照射下，紧张而忙碌地干活。他们穿着最简陋的衣服，吃着最粗糙的食物，外表**不修边幅**，却在用自己的双手创造生活。每个人的内心都有着不灭的生气。

突然，福尔摩斯惊喜地叫道：“快看，那边**挥手帕**了！就是那条白色的手帕！他们出发了！快，我们赶紧跟上‘曙光号’。天哪！那船真是太快了，要是让它在我眼皮底下逃走，我一辈子都不会原谅自己。”

“曙光号”**一眨眼**就离开了船坞。糟糕！两三条小船挡住了福尔摩斯他们的视线，等再次看到“曙光号”时，它已经开出了老远。

琼斯警探脸色铁青，一边摇头一边念叨：“不行，那船太快了！我们追不上的，怎么可能追得上？”

水上追踪

眼看“曙光号”越开越远，福尔摩斯也急了，**咬牙切齿**地叫着：“必须追上它！快，赶紧加煤，加煤！马力开到最大！就算把船烧了，也要追上他们！”

船员们不敢怠慢，铆足了劲不断加煤，锅炉的火已经烧到最大，马力强大的引擎发出巨大的轰鸣声：“**轰隆**——**轰隆**——”就像是一颗坚强有力的金属心脏。

尖尖的船头破开平静的水面，两侧涌起滚滚巨浪，船头一盏黄色大灯照着前方，拖出一条长长的光尾。“曙光号”黑色的身影遥遥领先，在它身后泛起两行白色的浪花，可见它的航行速度有多惊人。

“伙计们，加煤！快，尽一切可能**加大马力**！”福尔摩斯再一次大吼起来，锅炉房的熊熊大火映照在他焦急的脸上。

“我们赶上去了一点！”琼斯警探望着“曙光号”大喊。

华生也十分激动：“又赶上不少了！再过几分钟，应该就

曙光号

能追上它了！”

然而，天有不测风云。就在这时，一条拖船拖着三条货船横穿过来，挡住了去路。“**要撞上了**！”船上尖叫声不断。幸亏船长反应迅速，紧急转舵，才避免了一场撞船事故。不过，等他们绕开拖船时，“曙光号”又开出老远，都快看不到它黑色的船身了。

福尔摩斯再次下达加煤的指令。此时锅炉已经烧到了极限，巨大的能量推动船身前进，脆弱的船体猛烈震动，一直**咔咔作响**！

又追了一段路，“曙光号”**若隐若现**的船身逐渐清晰起来。借着船上的探照灯，可以看到甲板上的人。一个人坐在船尾，身边有团黑乎乎的东西，看着很像一条狗。一个男孩在掌舵，应该是船主的儿子，而船主史密斯则光着膀子不断加煤。他们肯定已经发现了自己正被人**穷追不舍**。

两船之间的距离越来越近。琼斯警探大声喝令：“停船，快停船！”

听到叫声，那个坐在船尾的人站了起来，朝他们挥动双拳，扯着嗓子高声怒骂。那是个白人，身材健硕，但是看他的腿，右腿的下半截靠一根木棍支撑着！他就是**木腿人乔**

纳森！而原本在他旁边的那团黑色东西也开始挪动，然后站了起来。直到这时，大家才看清那原来是个人。

他就是那个个子矮小的**小脚男人**，披着一条黑色的毯子，只露出一个脑袋，上面是乱糟糟的头发。借着火光，大家看到了他的脸。天哪！那张脸足以让所有人都感觉到恐惧！他就像只野兽一样，两眼闪着凶光，龇牙咧嘴地朝着他们疯狂吼叫。

福尔摩斯和华生都掏出了手枪。

“只要他抬手，就立刻开枪。”福尔摩斯小声叮嘱华生。

这时，两艘船的距离又拉近了一些，差不多只隔了十几米。小脚人从怀里掏出了一个圆木棒就要放到嘴边。“不好！”华生和福尔摩斯**同时开枪**，那人惨叫一声，身体一歪，跌入了水中。

与此同时，装有木腿的白人冲向了船舵，用尽全力掉转方向朝南边直冲过去。两条船差点撞上。福尔摩斯他们掉转方向再次追击时，“曙光号”已经靠近岸边。

凶手的末日

那是个荒芜的沼泽地带，随处可见臭水坑和腐烂的植物。只听到砰的一声巨响，“曙光号”一头扎进了淤泥地里，就此搁浅。

乔纳森见状迅速跳到岸边，可是，他的那条木腿却陷进了松软的淤泥里。他跳着左脚拼命挣扎，可木腿越陷越深，直到整个人动弹不得。他发出困兽般的咆哮声。

警方的船小心地靠了过去。福尔摩斯扔出一条绳子套在乔纳森的肩膀上，大家使劲往外拉，才把他像拉死鱼一样拽上了船。至于史密斯父子，他们**愁眉苦脸**，耷拉着脑袋上了警船。最后，“曙光号”也被拉出了淤泥地。

“曙光号”的甲板上，有一只印度风格的**铁箱**。不用说，这肯定是整个案件的罪魁祸首——装着巨额财宝的宝箱。箱子上了锁，沉甸甸的。几个人小心翼翼地扛起它，把它搬进了船舱里。

警方的蒸汽船拉响汽笛："呜——"它拖着"曙光号"开始往回开。警探用探照灯照射着水面，寻找刚才落水的小脚人。但是，泰晤士河面上一片静寂，想来他已经**葬身河底**。

福尔摩斯蹲在船舱口，指着射在上面的一根毒刺说："华生啊，我们刚刚**跟死神擦肩而过**。幸亏开枪早，否则死的就是我们俩中的一个了。"

华生瞅着那根毒刺不禁后怕起来，福尔摩斯却像个没事人似的耸耸肩。

嫌疑犯乔纳森已经落网，此刻就坐在他魂牵梦萦了许多年的宝箱对面。为了这笔财宝，他**绞尽脑汁**，费尽心机，到头来，却还是竹篮打水一场空。他恶狠狠地瞪着福尔摩斯，双眼几乎能喷出火来，眼神却不时地飘向铁箱，透出几分不甘和悲伤。

"行啦！乔纳森，事到如今，你还对这箱财宝**恋恋不舍**吗？"福尔摩斯点燃一支雪茄说。

"我不想搞成这样，先生。"乔纳森直率地回答，"我发誓，我从来没想过要杀那位先生。都是小恶魔童格惹的祸！可这不关我的事！当时我也气坏了，用绳子狠狠抽了他一顿。唉，人死不能复生，后悔也没有用了。"

福尔摩斯递了瓶酒给他，说：“喝口酒暖暖身子吧。看你全身都湿透了。”见乔纳森接过酒瓶，他又说：“那个家伙又黑又小，你顺着绳子往上爬的时候，压根儿就没有想到他能杀死舒尔托吧？”

听到这话，乔纳森眼睛都直了，震惊地点头，说道：“先生，你真是**料事如神**，就跟在现场似的。我当时的确以为房间里没人，一般那个时候舒尔托都在楼下吃晚饭。我根本没有想要杀他的念头。如果是老舒尔托，我肯定会扑上去宰了他，但他的两个儿子是无辜的！”

“如果你实话实说，或许我能帮到你。我想我能证明，在你进屋前，他就已经中毒身亡了。”

乔纳森说：“确实如此！先生，当我爬进屋子时，我看到他歪着脑袋咧嘴笑，真把我吓坏了！要不是童格那小恶魔跑得快，我早把他杀了。也正是这个原因，他把木棒落在了现场，毒刺也丢了。我想，你就是根据这些查到我们头上来的吧？”他苦笑了一下。“原本我们以为，有了那五十万英镑，就可以过上风光自在的富人生活。可实际上呢，所有跟这笔财宝扯上关系的人，都倒了大霉。莫斯坦上尉因为它丧了命。舒尔托少校生活在恐惧和愧疚中，最后也不得善终。而我，下半辈子又得在牢里干苦力了！”

宝箱重见天日

案情果然和福尔摩斯推测的一模一样。他挑了挑眉毛，说："这笔财宝的一半属于莫斯坦小姐，琼斯警探，你答应过我**物归原主**，还记得吧？我想，是不是请华生跑一趟，把财宝给莫斯坦小姐送去？"

琼斯警探嘟囔着："这么做不合规矩，但既然答应了你……嗯……君子一言，驷马难追！我们先把宝箱打开来清点一下吧！"

这时，坐在一旁的乔纳森阴险地笑了起来："钥匙扔到河底了。"

琼斯警探**不以为意**地说："你这又是何必呢？这么点小事难不倒我们，想想办法总能打开。来人，你跟着华生走一趟。"他派出一名警员，跟华生一起带着沉重的宝箱，坐上了马车。

当华生抵达塞西尔夫人家时，莫斯坦小姐正愁容满面地坐在窗前的藤椅上。她看到华生，一下子站了起来，原本苍白的脸上顿时有了光彩，透出几分惊喜的神色。“是您啊！您特地过来是有什么消息要告诉我吗？”她说。

“我的确是有一件**大喜事**要宣布。”华生把宝箱放在桌上，虽说心里有些烦闷，但还是假装高兴地说，“看，我把属于你的财宝带来了。”

原以为莫斯坦小姐会十分开心，没想到她只是瞥了眼铁箱，淡淡地问：“这就是那箱宝物吗？”

“是的，这就是那笔**巨额财宝**，一半属于你，一半属于小舒尔托先生。你们俩从此以后就是英国顶顶有钱的富人

了，这可真是件天大的喜事啊！”

但是，莫斯坦小姐对华生的关心，显然超过了宝箱。她感谢华生连日来为她的事奔波，认真倾听着他们追捕罪犯的过程。当听到他们差点儿被毒刺射中的时候，她脸色惨白，似乎要晕倒。

“一切都过去了！”华生费了九牛二虎之力，总算把宝箱的锁撬开，他们却被眼前的景象惊得**目瞪口呆**！箱子里竟然是空的，什么也没有。

这……真是活见鬼了！华生纳闷极了：“财宝是什么时候消失不见的？”而莫斯坦小姐只是异常平静地说了一句：“宝物没了。”

下一秒，华生抑制不住内心的喜悦，失声喊了出来：“哦，感谢老天！”

莫斯坦小姐疑惑不解地问：“您为什么这样说？”

华生紧紧握住莫斯坦小姐的手，说：“因为这些财宝就是横在我们之间的**一堵高墙**。现在墙不见了，你我的距离就近了。从见到你的第一眼开始，我就喜欢上了你！我终于可以说出心里话了。”

莫斯坦小姐红着脸轻声说道：“那我也要说‘感谢老天’！”

谁也没想到，一宗案子竟然成全了一对有情人。

过后，华生和警员带着**空箱子**回到贝克街，福尔摩斯和琼斯警探都愣住了。

琼斯警探怒气冲冲地质问被带到这里的乔纳森：“喂，乔纳森，都是你干的好事！你到底把财宝藏哪里去了？”

这个木腿人看着**心急如焚**的琼斯警探，狂笑不已，声音尖锐怪异：“哈哈哈哈！那是我的财宝！既然我得不到，你们谁也别想得到！实话告诉你吧，这笔财宝属于我和另外三个囚犯朋友。当初我们写下‘四签名’的时候就发过誓：有福同享，有难同当！他们肯定也同意我的选择，就算扔进河里也不给你们！”

“你说谎！乔纳森，你要是真的扔了财宝，怎么不把箱子一起扔了？那样不更省事吗？”琼斯警探显然不相信他的话。

“哈哈，如果我扔起来省事，你们捞起来不也省事吗？我才不上当呢！”乔纳森叫嚣着，“我们受了多少苦，才得来这笔财宝！凭什么让别人拿去逍遥快活?！我宁愿**毁了它**！”

宝贝不翼而飞

看着情绪失控的乔纳森，福尔摩斯安慰他："你要是愿意的话，跟我们说说你和宝箱的故事吧。"

乔纳森要了一口水喝，接着便讲起了那遥远的往事。

他出身贫穷又**游手好闲**，长到十八岁，在家实在待不下去了才去参了军，被派到印度。可不幸的是，在一次游泳时，他被鳄鱼咬断了右腿，后来只好装了一条用木头做的假腿。

再后来，印度爆发了战争，上百万当地人起义，想把统治他们的英国人赶出去。一时间，硝烟四起，局势混乱，每天都会发生杀人放火的事情。烧毁房屋的大火照得满天通红，整个印度变成了人间地狱。

留在印度的英国人成了人人喊打的对象，乔纳森的日子自然也不好过。他**阴差阳错**地加入了一支临时军队，抵御起义军的攻击。但他们势单力薄，弹药又不足，打了一阵子，就躲进一个巨大的**古堡**里，等待援军到来。

古堡里，到处是弯弯曲曲的走廊和空无一人的大厅，像**迷宫**一样，很容易迷路。一天夜里，轮到乔纳森站岗。跟他在一起的，还有两个印度士兵。他们没有参加本地起义，还是属于英国军阵营。这两人身材高大，长相凶狠，经常凑在一起，用古怪的语言嘀嘀咕咕说个不停。

凌晨两点，天空阴沉，细雨纷纷。乔纳森把枪放下，掏出烟斗，划燃了一根火柴。突然，那两个印度士兵从旁边冲了过来，一个人拿枪顶着乔纳森的脑袋，另一个人把刀架在他的脖子上，恶狠狠地说："别动！不然要了你的命！"

乔纳森吓得两腿一软，几乎站立不住，心想："完了，完了！他们原来也跟外面的起义军是一伙的！"

没想到，印度士兵却低声说："只要你乖乖配合，就不会有危险，而且，你还可以跟我们一起**分宝藏**。"

乔纳森晃了晃脑袋，还以为自己听错了。印度士兵看他不敢反抗，就告诉了他**一个秘密**。

印度有一个非常有钱的土财主，他为了在战乱之中保全自己的财产，把一大箱珍贵的珠宝藏到了这个阴森的古堡里。古堡非常大，有很多地方根本没人去过，藏在这里不容易被发现。当天晚上，土财主就会派亲信把宝箱送进来。亲信当然没法一个人潜入古堡，他有一个同伴带路，而这个同伴，已经跟古堡里的守卫串通好了。

乔纳森听到这里，忍不住问道：“你……你们就是跟他们……串通的守卫？”

印度士兵邪恶地笑了笑，说：“只收买我们还不够，还需要你的加入！”

“我？”乔纳森声音颤抖地反问。

印度士兵凑到他耳朵边，说：“他们很快就到了。一会儿，你负责把亲信杀掉，那笔宝藏，我们**四个人分**！”

乔纳森双腿抖个不停，战战兢兢地说：“杀……杀掉亲信？四……四个人分？”

“对，四个人分！我们三个，再加上那个带路的，他是我们的好兄弟。”

乔纳森虽然有些良心不安，但还是照他们说的做了。他们**里应外合**，干掉了土财主的亲信。他们把宝箱打开，里面的**奇珍异宝**在昏暗的古堡中闪闪发光！什么红宝石、猫眼石、钻石、翡翠，应有尽有，看得他们**眼花缭乱**。这得值多少钱哪！四个人一阵狂喜，心脏扑通扑通飞快地跳个不停，嘴角咧开半天也合不拢。

很快，他们冷静下来。现在局势混乱，不可能把财宝带在身边。想来想去，只能先在古堡里找个隐秘的地方**藏起来**。他们对天发誓，这笔财宝由四个人平分。等战争平息后，他们再一起来取出宝藏。谁也不许私自行动。

乔纳森讲着这个遥远的故事，眼里还闪烁着当年看到宝藏时的那种光芒。琼斯警探追问：“那后来宝藏怎么落到舒尔托少校的手里了？”

乔纳森往地上呸了一口：“他**不守信用**！”

原来，他们藏好宝藏后，事情的发展超出了他们的控制范围。那位亲信的死很快就被发现了，他们四个都被当作罪犯关了起来，下半辈子只能在监狱里度过。宝藏成了只有他们四个人知道的秘密。

琼斯警探又问："宝藏原来的主人没去古堡寻找吗？"乔纳森突然哈哈大笑起来："一切都是天意啊！那个土财主在战乱中被赶出了印度，所以，根本没有人知道有一只**失踪的宝箱**。"

染血的财宝

这四个人带着宝藏的秘密，在监狱里**度日如年**，明明拥有富可敌国的财富，却偏偏要被关在牢里忍饥挨饿，受苦受累。他们实在是不甘心，每时每刻都在绞尽脑汁地想着办法，发誓一定要取出宝藏，**远走高飞**。

机会终于来了。乔纳森被辗转送到了安达曼群岛的一个小岛上。作为岛上犯人里少有的英国人，他一直努力表现，因此得到了一些特殊照顾：不仅能自己住一间小茅屋，还跟看守的军官们混熟了。他就是在那里认识了舒尔托少校和莫斯坦上尉。

军官们经常聚在一起赌钱。舒尔托少校嗜赌如命，赌注越下越大，不仅把钱都输光了，还欠了一屁股债。他每天都愁眉苦脸，借酒浇愁，说到钱就**唉声叹气**。

乔纳森脑中灵光一现，心想：“机会来了！”有一天，他趁着舒尔托少校在海边散步，故意上前去跟他搭话：“尊敬的少校，我有个烦恼，您能否帮忙出出主意呢？我……呃……知道一笔巨额宝藏藏在哪里，但是……没有机会把它们取出来……”

少校一开始根本不相信他的话，但是，跟看守的军官撒谎，可没什么好果子吃。他**半信半疑**地找来了最好的朋友——莫斯坦上尉，一起商量这件事。其实，要核实这件事并不难，只要去乔纳森说的古堡里看一看就知道了。最后，两位军官和四个罪犯做了个约定：舒尔托少校先去古堡里核实情况，如果真有宝物，他和莫斯坦上尉一起想办法，把四个犯人偷偷接出去，然后六个人一起分那箱宝藏。为了方便行动，乔纳森给两位军官一人画了一张藏宝图，还在上面签上了**四个人的名字**。

以后的事情大家都知道了。

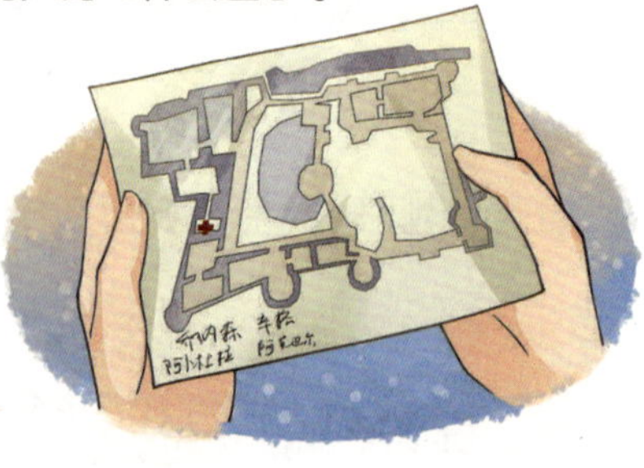

“回警察局。只有让他待在牢房里，我才能安心。”琼斯警探早已等得不耐烦了。

等他们走后，公寓里只剩下华生和福尔摩斯静静地坐着。华生打破沉默，说："福尔摩斯，恐怕以后我能跟着你办案的时间会变少了。莫斯坦小姐已经答应了我的求婚，我们很快就要结婚了。"

福尔摩斯苦笑了一下，说："虽然很舍不得，但还是要恭喜你。"

华生感叹道："整个案子是你破的，琼斯得到了功劳，我得到了妻子，你却什么都没有得到。"

"呵呵，**破案本身**，**就是对我的奖赏**。"福尔摩斯笑着举起了酒杯。

小侦探挑战赛

推理能力测试

亲爱的小朋友，看书累了吧？来做个小游戏吧，跟你的同学们比一比，看看谁的推理能力更厉害！

案件 1

华生感冒

真相

“亲爱的华生，你好！”6月的一个午后，福尔摩斯走进门，看着身穿睡衣的华生说，“我想邀请你一起去谈个案子。你的感冒好了吧？这个季节感冒总是有点烦人。”

“福尔摩斯你可真神了！你怎么知道我前段时间感冒了？”华生吃惊地问。

“我亲爱的伙计，你知道我的推理方法。我从你的拖鞋上看出来的。”

“我的拖鞋？”华生低头看了一眼脚上穿的那双漆皮拖鞋。这是一双比较新的拖鞋，拖鞋底部有被烧焦的痕迹，鞋子上还贴着一张小圆纸片。

福尔摩斯是怎么通过这双拖鞋推理出华生刚患过感冒呢？

小提示：
为什么新拖鞋会有烧焦的痕迹？鞋上还贴着小圆纸片说明了什么问题？还要注意这个季节哟！

答案揭晓：

推理过程一：拖鞋是新的，但是鞋底已经烧焦了。

——说明华生最近用火烤过拖鞋。

推理过程二：鞋上还贴着小圆纸片。

——说明华生烤拖鞋并不是因为鞋子湿了需要烤干。如果鞋子被水浸湿了，上面贴的小圆纸片早该掉了。

推理过程三：既然拖鞋没湿，华生为什么要烤拖鞋？

——他应该是穿着拖鞋去烤火。

请注意一个细节：这时是 6 月，不是冬天。

推理过程四：为什么 6 月天不冷，华生却要烤火？

——他应该是感冒了，所以怕冷。

因此，福尔摩斯推测，华生前段时间感冒了，他穿着拖鞋去烤火，不小心把鞋底烧焦了。

案件 2

投资金矿

这天下午，福尔摩斯在公寓里专心地做着化学实验，而华生在沙发上悠闲地看报纸。

“华生，”福尔摩斯突然开口说道，“你不打算在南非的金矿项目上投资了？”

尽管已经习惯了福尔摩斯各种奇特的本领，华生还是吃了一惊，问道：“你是怎么知道的？”

“只要观察一下你左手拇指和食指之间的虎口，就不难看出，你没有打算把钱投到金矿项目上。”福尔摩斯仍然盯着化学药水，漫不经心地说。

“只看了看我的手？”华生觉得不可思议。

亲爱的小朋友，下面是福尔摩斯推理的过程。不过，有些线索没有放在它们应该在的位置。请开动脑筋，把它们填到括号中合适的位置吧！

线索 1 华生昨晚从俱乐部回来，左手虎口处有白色粉末。

（　　　）

（　　　）

推导结论 1 华生昨晚见过瑟斯顿。

线索 2 四个星期前，华生曾说过，瑟斯顿想邀请他一起投资南非的某项产业。

（　　　）

推导结论 2 瑟斯顿曾想邀请华生投资南非金矿项目。

线索 3 （　　　）

推导结论 3 华生昨晚见瑟斯顿前，并没有取出投资款。

综合以上三点推导可知：华生不打算把钱投资到南非的金矿项目上。

线索选项：

A. 华生把大部分钱锁在福尔摩斯的保险柜里，但他最近没问福尔摩斯要过钥匙。

B. 人们一般只在打台球时，为了稳定球杆，才会在手的虎口处抹白色粉末。

C. 英国人在南非最常投资的项目是金矿。

D. 如果没有好友瑟斯顿做伴，华生从不去打台球。

答案揭晓：B，D，C，A

大侦探福尔摩斯

图书在版编目（CIP）数据

大侦探福尔摩斯．四签名／（英）柯南·道尔（Arthur Conan Doyle）著；喵博士改编．—南京：译林出版社，2022.4（2022.6重印）
ISBN 978-7-5447-8990-5

Ⅰ.①大…　Ⅱ.①柯…　②喵…　Ⅲ.①侦探小说－英国－现代　Ⅳ.①I561.45

中国版本图书馆CIP数据核字（2021）第260740号

大侦探福尔摩斯：四签名［英国］柯南·道尔／著
喵博士／改编

策　　划　彭　波　龚文宇
本册撰写　田银亚　何　敏
责任编辑　朱旭玲
装帧设计　宸唐工作室
校　　对　戴小娥
插　　图　妙象童画
责任印制　颜　亮

出版发行　译林出版社
地　　址　南京市湖南路1号A楼
邮　　箱　yilin@yilin.com
网　　址　www.yilin.com
市场热线　025-86633278
排　　版　宸唐工作室
印　　刷　南京新世纪联盟印务有限公司
开　　本　890毫米×1240毫米　1/32
印　　张　4.25
版　　次　2022年4月第1版
印　　次　2022年6月第3次印刷
书　　号　ISBN 978-7-5447-8990-5
定　　价　28.00元

SHERLOCK HOLMES